Português do Brasil como Língua Estrangeira

Gramática

Linei Matzenbacher Zampietro

Português do Brasil como Língua Estrangeira

Gramática

3ª Reimpressão

© 2016 Linei Matzenbacher Zampietro
Preparação de texto: Julia Barreto / Verba Editorial
Capa e Projeto gráfico: Alberto Mateus
Diagramação: Crayon Editorial
Assistente editorial: Aline Naomi Sassaki
Impressão e Acabamento: Gráfica Paym - Março/2023

Dados Internacionais de Catalogação na Publicação (CIP)
(Câmara Brasileira do Livro, SP, Brasil)

Zampietro, Linei Matzenbacher
   Português do Brasil como língua estrangeira : gramática / Linei Matzenbacher Zampietro. -- Barueri, SP : DISAL, 2016.

   Bibliografia.
   ISBN 978-85-7844-189-0

   1. Português - Brasil 2. Português - Estudo e ensino - Estudantes estrangeiros 3. Português - Livros-texto para estrangeiros 4. Português - Problemas, exercícios etc. I. Título.

16-01934   CDD-469.824

Índices para catálogo sistemático:
1. Português : Livros-texto para estrangeiros 469.824
2. Português para estrangeiros 469.824

Todos os direitos reservados em nome de:
Bantim, Canato e Guazzelli Editora Ltda.

Alameda Mamoré 911 – cj. 107
Alphaville – BARUERI – SP
CEP: 06454-040
Tel. / Fax: (11) 4195-2811
Visite nosso site: www.disaleditora.com.br
Televendas: (11) 3226-3111

Fax gratuito: 0800 7707 105/106
E-mail para pedidos: comercialdisal@disal.com.br

Nenhuma parte desta publicação pode ser reproduzida, arquivada ou transmitida de nenhuma forma ou meio sem permissão expressa e por escrito da Editora.

Agradecimentos em especial para
Renata Taño
Cleide Botelho
Evanir A. Zampietro

SUMÁRIO

Introdução 11

AS PALAVRAS (substantivos, adjetivos, pronomes, etc.)

I	NÚMEROS	14
II	Contrações (1): DO, DA, DOS, DAS; NO, NA etc.	17
III	Contrações (2): DESTE, NESTE etc.	20
IV	Contrações (3): POR /PELO / PELA / PELOS /PELAS	24
V	PARA e POR	26
VI	MUITO – POUCO – DEMAIS	29
VII	CADA vs. TODO	32
VIII	ALGUÉM – NINGUÉM / ALGUM – NENHUM	35
IX	Comparativos	37
X	Tão e Tanto	40
XI	Superlativo	43
XII	MASCULINO E FEMININO (1)	46
XIII	MASCULINO E FEMININO (2)	49
XIV	PLURAL (1)	52
XV	PLURAL (2)	53
XVI	Pronomes Pessoais: EU, ME, MIM, COMIGO; ELE, O, LO, NO, LHE etc.	55
XVII	COLOCAÇÃO DOS PRONOMES O, A, OS, AS etc. nos tempos compostos	58
XVIII	MESÓCLISE (o pronome do meio do verbo)	59
XIX	Pronomes Possessivos: MEU, MINHA etc.	60
XX	Pronomes Interrogativos: ONDE, QUANDO, COMO, QUEM, QUANTO, QUAL, O QUE, POR QUE	63
XXI	Usos dos PORQUÊS	66
XXII	Preposições (1): regência verbal	68
XXIII	Preposições (2): regência nominal	71
XXIV	Preposições (3): AO LADO DE, ATRÁS DE, NA FRENTE DE etc.	74
XXV	Preposições (4): À DIREITA, À ESQUERDA, EM FRENTE etc. . .	76

XXVI	Adjetivos descritivos e sua posição na frase: ALTO, MAGRO, FASCINANTE etc.	78
XXVII	Adjetivos não descritivos e sua posição na frase: CADA, OUTRO, SEGUINTE etc.	81
XXVIII	Formação de Palavras (1).	84
XXIX	Formação de palavras (2)	87

OS SONS E A GRAFIA

I	Fonética (1): o alfabeto e os sons das letras	92
II	Fonética (2): principais dificuldades de pronúncia	95
III	Palavras com a letra "X".	101
IV	Acentuação Gráfica (1): separação de sílabas	103
V	Acentuação Gráfica (2): regras.	105

A CONJUGAÇÃO VERBAL

I	Presente do Indicativo: SER.	110
II	Presente do Indicativo: ESTAR.	113
III	SER vs. ESTAR	114
IV	Presente Contínuo: ESTOU FAZENDO.	117
V	Presente do Indicativo dos Verbos Regulares (1)	120
VI	Presente do Indicativo dos Verbos Regulares (2).	125
VII	Presente do Indicativo dos Verbos Irregulares (1).	128
VIII	Presente do Indicativo dos Verbos Irregulares (2)	132
IX	Presente do Indicativo dos Verbos Irregulares (3)	135
X	Presente do Indicativo dos Verbos Irregulares (4)	138
XI	Presente do Indicativo dos Verbos Irregulares (5)	141
XII	Pretérito Perfeito dos Verbos Regulares	143
XIII	Pretérito Perfeito dos Verbos Irregulares (1).	146
XIV	Pretérito Perfeito dos Verbos Irregulares (2)	153
XV	Pretérito Perfeito dos Verbos Irregulares (3)	158
XVI	Pretérito Imperfeito do Indicativo: FALAVA, COMIA, ABRIA	163
XVII	Futuro Imediato.	166
XVIII	Futuro do Presente do Indicativo: FALAREI, FALARÁ	169

XIX	Futuro do Pretérito do Indicativo (condicional): FALARIA, FALARÍAMOS	172
XX	Tempos Compostos do Indicativo (1) — Perfeito Composto: TENHO TIDO	175
XXI	Tempos Compostos do Indicativo (2): Mais-que-Perfeito Composto: TINHA TIDO	177
XXII	Tempos Compostos do Indicativo (3) — Futuro Composto: TEREI TIDO e Futuro do Pretérito Composto: TERIA TIDO	180
XXIII	Imperativo	183
XXIV	Verbos Reflexivos (LEMBRAR-SE) e Recíprocos (CUMPRIMENTAR-SE)	185
XXV	Presente do Subjuntivo	187
XXVI	Imperfeito do Subjuntivo	191
XXVII	Futuro do Subjuntivo	195
XXVIII	Conjunções do Subjuntivo	199
XXIX	Indicativo vs. Subjuntivo: casos especiais	203
XXX	Tempos Compostos do Subjuntivo I: PRESENTE	204
XXXI	Tempos Compostos do Subjuntivo (2): IMPERFEITO	206
XXXII	Tempos Compostos do Subjuntivo (3): FUTURO	209
XXXIII	Orações Condicionais 1, 2 e 3	211
XXXIV	Voz Passiva (1): verbo auxiliar SER	213
XXXV	Voz Passiva (3): ESTAR	217
XXXVI	Verbos com dois Particípios: ACEITADO, ACEITO	218
XXXVII	Discurso Indireto	221
XXXVIII	Infinitivo Pessoal (flexionado)	224

Respostas dos exercícios 227

INTRODUÇÃO

O livro Português do Brasil como Língua Estrangeira – Gramática destina-se ao uso em sala de aula ou em casa, como auto estudo, por alunos estrangeiros que desejam praticar e dominar as diversas estruturas da Língua Portuguesa de forma rápida e eficiente. Ele busca acompanhar e complementar os conteúdos oferecidos pelos principais manuais de Língua Portuguesa como Língua Estrangeira (LPE) e cobre os níveis elementar, intermediário e avançado (A1, A2, B1, B2 e C1).

Ele está dividido em três partes:

Primeira Parte: as Palavras (substantivos, adjetivos, pronomes, etc.) contempla os principais pontos que trazem dúvidas durante o aprendizado do Português como números, contrações, plural, gênero, preposições, entre outros.

Segunda Parte: Os Sons e a Grafia oferece a oportunidade de praticar e adquirir a pronúncia mais próxima possível da usada por falantes nativos, além de oferecer regras práticas para a grafia das palavras e para o uso da acentuação gráfica.

Terceira Parte: A Conjugação Verbal apresenta a oportunidade de praticar todos os principais tempos verbais por meio de exercícios de automação, sempre depois de uma rápida e clara explicação sobre o uso e sobre como se conjugam os verbos para cada pessoa gramatical. Observação: Por se tratar de uma obra voltada ao ensino do Português dominado por um maior número de falantes nativos no Brasil, não houve a preocupação de se oferecer também a conjugação do *tu* e do *vós*, substituídos por *você* e *vocês* (ou o senhor/os senhores; a senhora/as senhoras).

Gramática inclui as respostas a todos os exercícios no final do livro, por isso pode ser usada fora da sala de aula. Ela foi concebida como obra complementar e não precisa ser seguida linearmente: cada atividade pode ser selecionada de acordo com os interesses ou as dificuldades do aluno.

AS PALAVRAS
(substantivos, adjetivos, pronomes, etc.)

NÚMEROS

1 Números Cardinais

1 – um / uma
2 – dois / duas
3 – três
4 – quatro
5 – cinco
6 – seis
7 – sete
8 – oito
9 – nove
10 – dez
11 – onze
12 – doze
13 – treze
14 – catorze / quatorze
15 – quinze
16 – dezesseis
17 – dezessete
18 – dezoito
19 – dezenove
20 – vinte
21 – vinte e um / uma
22 – vinte e dois / duas
23 – vinte e três
24 – vinte e quatro
25 – vinte e cinco
26 – vinte e seis
27 – vinte e sete
28 – vinte e oito
29 – vinte e nove
30 – trinta

40 – quarenta
50 – cinquenta
60 – sessenta
70 – setenta
80 – oitenta
90 – noventa
100 – cem

101 – cento e um
110 – cento e dez
200 – duzentos / duzentas
300 – trezentos / trezentas
400 – quatrocentos / quatrocentas
500 – quinhentos / quinhentas
600 – seiscentos / seiscentas
700 – setecentos / setecentas
800 – oitocentos / oitocentas
900 – novecentos / novecentas

1.000 – mil
1.001 – mil e um / uma
1.002 – mil e dois / duas

2.000 – dois / duas mil
3.000 – três mil

1.000.000 – um milhão
2.000.000 – dois milhões
1.000.000.000 – um bilhão
2.000.000.000 – dois bilhões

2 Números Ordinais

1º. – primeiro
2º. – segundo
3º. – terceiro
4º. – quarto
5º. – quinto
6º. – sexto
7º. – sétimo
8º. – oitavo
9º. – nono
10º. – décimo
11º. – décimo primeiro
20º. – vigésimo

30º. – trigésimo
40º. – quadragésimo
50º. – quinquagésimo
60º. – sexagésimo
70º. – septuagésimo
80º. – octogésimo
90º. – nonagésimo
100º. – centésimo
1.000º. – milésimo
1.000.000º. – milionésimo

Obs.: todos os ordinais têm feminino:
Primeiro andar / primeira vez
Décimo Fórum / décima Delegacia de Polícia

Dias da semana: segunda, terça, quarta, quinta, sexta, sábado, domingo (segunda-feira, terça-feira etc.)

3 Frações

1/2 – metade
1/3 – um terço
1/4 – um quarto
2/5 – dois quintos

3/8 – três oitavos
2/12 – dois, doze avos
5/15 – cinco, quinze avos

4 Porcentagens

1% - um por cento
10% - dez por cento
50% - cinquenta por cento

5 Decimais

0,7 – zero vírgula sete
15,5 – quinze vírgula cinco

6 Romanos

Até 9, são geralmente lidos como ordinais: João Paulo II (segundo)

I Guerra Mundial (primeira)
mas: Bento XV (dezesseis)

Exercícios

1 Leia os números abaixo:

a. 1 livro
b. 1 pessoa
c. 2 pessoas
d. 5 árvores
e. 15 cidades
f. 27 carros
g. 35 automóveis
h. 50 prédios
i. 70 aulas
j. 85 professores
k. 99 páginas
l. 100 crianças
m. 102 vezes
n. 150 quilômetros
o. 200 parques
p. 202 mulheres
q. 500 homens
r. 501 meninas
s. 807 ruas
t. 1.900 cidades
u. 2.000 árvores
v. 1.000.000 de vítimas
w. 3.000.000 de pessoas

2 Meses do ano: janeiro, fevereiro, março, abril, maio, junho, julho, agosto, setembro, outubro, novembro, dezembro. Leia as datas abaixo:

a. 2/4/2014: *dois de abril de dois mil e quatorze.*
b. 25/1/2002
c. 7/9/1822
d. 1º./5/2013
e. 15/11/1889
f. 31/3/1964
g. 25/12/2007
h. 1º./1/2015
i. 12/6/1966
j. 24/4/1978
k. 20/11/2001
l. 12/10/1980

3 Leia os ordinais:

a. 1º ano
b. 2ª vez
c. 5ª Avenida
d. 6ª-feira
e. 10º andar
f. 11ª volta
g. 23º Distrito Policial
h. 35ª Delegacia de Ensino
i. 50º aniversário
j. 65ª competição
k. 73º andar
l. 80º pacote
m. 97ª rodada
n. 110ª jogada
o. 1.000ª vez
p. 45º *round*

4 Leia os números abaixo:

a. 1/4 da população
b. 2/3 dos lucros
c. 5/8 das vendas
d. 1/2 das pessoas
e. 2/15 dos problemas

f. Papa Paulo VI
g. Papa João Paulo I
h. II Guerra Mundial
i. Papa Pio XII
j. Avenida XV de Novembro

5 Leia os valores:

a. R$ 15,50: *quinze reais, cinquenta centavos*
b. R$ 0,15
c. R$ 55,00
d. R$ 150,00

e. R$ 550,15
f. R$ 917,70
g. R$ 1.330,13
h. R$ 5.620,12

II Contrações (1): DO, DA, DOS, DAS; NO, NA etc.

• Com artigos definidos

Preposição	Artigo	Contração	Exemplos
de +	o = a = os = as =	do da dos das	Gosto **do** Rio de Janeiro. Gosto **da** vida em São Paulo. Sou **dos** Estados Unidos. Somos **das** Filipinas.

O jogo está *na* mesa.

Preposição	Artigo	Contração	Exemplos
em +	o =	no	Moramos **no** Brasil.
	a =	na	Moramos **na** cidade.
	os =	nos	Trabalhamos **nos** EUA.
	as =	nas	Trabalhamos **nas** Ilhas Malvinas.

• **Países, cidades e lugares**

Em princípio, países, continentes e lugares são femininos ou masculinos. Cidades são neutras.

Continentes	Países	Lugares
a Europa	o Brasil	o Oriente
a Ásia	a Alemanha	o Ocidente
a América do Norte	a Espanha	o Oriente Médio
a América Central	a Inglaterra	o Mediterrâneo
a América do Sul	a Itália	a Avenida Paulista
a África	os Estados Unidos	a Alameda Santos
a Oceania	os Emirados Árabes	o Banco Itaú
o Ártico	a Argentina	o Jardim Paulista
a Antártica	o Chile	a Bela Vista
	o Uruguai	
Cidades (neutras)	o Canadá	
São Paulo	a Rússia	
Nova York	a Holanda /os Países Baixos	
Londres	a Dinamarca	
Berlim	a Noruega	
Lisboa	a China	
Madri	o Japão	
Paris	a França	

• **Exceções**

Países (neutros): Portugal, Cuba, Israel, Uganda.
Cidades: o Rio de Janeiro, o Guarujá

Exercícios

1. Faça a contração:

a. Trabalho **em / a** Rua Cardoso de Almeida.
   Trabalho na Rua Cardoso de Almeida.

b. Eles são **de / os** Estados Unidos.

c. Eu sou **de / o** Rio de Janeiro e trabalho **em / o** Guarujá.

d. Estudo **em / a** Universidade de São Paulo **em / o** Brasil.

e. Vocês são **de / a** França?

f. Este avião é **de / a** Europa.

g. O Brasil é muito longe **de / o** Japão.

h. Gosto **de / as** praias de Santa Catarina.

i. Ela mora **em / o** centro da cidade.

j. Eles trabalham **em / o** departamento de compras.

k. O chefe nos espera **em / a** sala de reuniões.

l. O que você acha **de / o** novo engenheiro?

m. Vamos ao cinema **de / o** Gazeta **em / a** Avenida Paulista.

n. A secretária entra **em / a** sala **de / o** diretor.

o. Ficamos **em / a** praia neste fim de semana.

p. Trabalho **em** / **a** Ford faz um ano.

q. Ela trabalha **em** / **o** Bradesco.

r. Preciso chegar **em** / **a** empresa antes **de** / **o** meio-dia.

s. Compro jornais **em** / **a** banca.

2 Ligue as palavras nas duas colunas:

a mesa	o diretor	*a sala de reuniões*
• a sala	a secretária	
a saída	o prédio	
a janela	a sala	
o elevador	• reuniões	
a mesa	o escritório	

III Contrações (2): DESTE, NESTE, etc.

• **Com pronomes demonstrativos**

Preposição	Pronome	Contração	Exemplos
de +	este =	deste	Gosto deste curso.
	esse =	desse	Gosto desse livro.
	aquele =	daquele	Gosto daquele país.

Contrações (2): DESTE, NESTE, etc.

Preposição	Pronome	Contração	Exemplos
de +	esta =	desta	Gosto desta pasta.
	essa =	dessa	Gosto dessa caneta.
	aquela =	daquela	Gosto daquela rua.

Preposição	Pronome	Contração	Exemplos
de +	isto =	disto	Gosto disto.
	isso =	disso	Gosto disso.
	aquilo =	daquilo	Gosto daquilo.

Preposição	Pronome	Contração	Exemplos
em +	este =	neste	Moro neste prédio.
	esse =	nesse	Você mora nesse prédio.
	aquele =	naquele	Eles moram naquele prédio.

Preposição	Pronome	Contração	Exemplos
em +	esta =	nesta	Moro nesta casa.
	essa =	nessa	Você mora nessa casa.
	aquela =	naquela	Eles moram naquela casa.

Gosto *deste* computador.

AS PALAVRAS

Preposição	Pronome	Contração	Exemplos
em +	Isto = Isso = Aquilo =	nisto nisso naquilo	Não pense nisto. Não fale nisso. Coloque a água naquilo.

Obs.: A contração também acontece com os pronomes pessoais ele, ela, ele, elas (dele, dela, deles, delas; nele, nela, neles, nelas) e com o advérbio "aqui" (daqui).

Exercício

Faça a contração:

1| Nós moramos em / esta cidade.
Nós moramos nesta cidade.

2| Ela precisa de / estes documentos.

3| Eu gosto muito de / este tipo de filme.

4| Não me fale de / isto agora.

5| Não pense em / isso agora.

6| Trabalho em / esta empresa há 3 anos.

7| O avião parte de / aqui a meia hora.

8| De / aqui até o Japão é muito longe.

9| Gosto de / este apartamento. Gosto de / ele.

10| Não estou falando de / isso.

11| Ele não é de / aqui. É estrangeiro.

Contrações (2): DESTE, NESTE, etc. 23

12| As mercadorias saem de / aqui amanhã.

13| O chefe só pensa em / este trabalho.

14| O que você acha de / ela?

15| Não sei o que pensar de / isso.

16| A secretária só fala de / isso.

17| Dependemos de / este resultado para ter um aumento salarial.

18| Estou em / este departamento faz 10 meses.

19| Vou deixar o relatório em / esta gaveta.

20| A pasta está em / aquele armário.

21| Tudo depende da resposta de / ele.

22| Gosto muito de / ela. Eu só penso em / ela.

23| Vire à direita depois de / esta loja.

24| Preciso chegar na empresa antes de / ele.

25| Compro jornais em / aquela banca.

iv Contrações (3): POR /PELO / PELA / PELOS /PELAS

A preposição POR forma uma contração com os artigos definidos A, O, AS, OS.

por + o =	pelo
por + a =	pela
por + os =	pelos
por + as =	pelas

Exemplos:
Elas fizeram isso *por* uma causa justa: *pela* democracia.
O fornecedor tentou entregar a mercadoria *pela* terceira vez.
Vá *pela* Marginal Tietê até a Rodovia Ayrton Senna: é o caminho mais rápido até o aeroporto.
Pelos meus cálculos, já gastamos mais de mil reais em presentes. (= de acordo com meus cálculos)
Estamos discutindo *pelas* razões erradas.
Faço tudo *pelo* meu trabalho e *pela* minha família.

Caminhamos pela Paulista no domingo pela manhã.

Exercícios

Preencha com POR / PELO / PELA / PELOS / PELAS.

1) A: _____ onde você entrou? _____ fundos?
   B: Não. _____ porta da frente mesmo.

2) A: _____ última vez: quando recebo meus óculos?
   B: Acho que eles chegam _____ correio ainda esta semana. Desculpe-nos _____ transtorno.

3) A: Você quer que eu compre este livro _____ você?
   B: Não, obrigada. Posso comprá-lo _____ internet.

4) A: _____ quanto você vendeu seu carro?
   B: _____ quantia de trinta mil reais. Consegui um bom preço _____ ele.

5) A: Para chegar ao shopping, vá _____ Avenida Faria Lima.
   B: Você acha mais rápido ir _____ lá?

6) A: Costumamos ir ao litoral sul _____ Rodovia Régis Bittencourt.
   B: Eu prefiro viajar _____ via Imigrantes ou _____ Anchieta. A vista é mais bonita _____ lá.

7) A: Os clientes estão aqui _____ promoção divulgada no jornal.
   B: _____ esse preço baixo, até eu gostaria de participar dessa promoção.

8) A: Eles chegaram _____ 10h da noite ontem.
   B: Que tarde! Com certeza havia muito trânsito _____ onde eles passaram.

9) A: A chefe voltará da reunião à tarde somente, _____ que eu sei.
   B: Então envio os documentos para ela _____ email: é mais rápido.

10| A: Preciso trocar dólares _____ reais. Você sabe onde há uma casa de câmbio?
B: Vá em frente, _____ avenida. Há uma casa de câmbio no shopping center à sua esquerda.

v PARA e POR

• **PARA:**

1 Finalidade:
Este livro é **para** eu ler.
Estamos aqui **para** discutir o projeto.

2 Um ponto no tempo:
Este relatório é **para** amanhã.
Tudo aqui é **para** ontem.

3 Destino / Direção:
Vamos **para** a sala de reuniões.
Olhe **para** frente.

Ela está pronta *para* dançar.

• **POR:**

1 Através de:
Ele entrou **pela** porta dos fundos.
A luz passa **pela** janela.

2 Agente da voz passiva:
Este livro foi escrito **por** Paulo Coelho.
O relatório foi feito **por** mim.

Este livro foi escrito *por* Jean de Léry

3 Em lugar de:
O chefe falará **por** todos do departamento.
Posso fazer isso **por** você.

4 Valor / Preço:
Pagamos muito caro **por** nosso erro de análise.
Comprei este carro **por** um preço bem alto.

5 Modo:
Ela concebeu o projeto **por** inteiro.
Eles fazem tudo **pela** metade.

6 Causa / Motivo / Razão:
Todos aqui trabalham **por** gostar da empresa.
Ela se casou **por** amor.

7 Duração de tempo:

Ficamos na sala de reuniões **por** horas a fio.
O visitante andou **pela** empresa por duas horas.

8 Caminho / Lugar por onde se passa:

Fomos ao Rio de Janeiro **pela** Via Dutra.
O chefe passou **por** aqui há pouco.

9 Meio:

Enviamos a encomenda **por** SEDEX.
Sempre oficializamos as propostas **por** escrito.

Exercícios

Use *para / por / pelo, pela, pelos, pelas* nos diálogos abaixo:

1| A: Você sabe _____ onde anda a secretária?
   B: Ela deve ter ido _____ o restaurante: é hora de almoço.

2| A: _____ onde vai este ônibus?
   B: Copacabana. Ele passa _____ Avenida Brasil.

3| A: O vendedor saiu mais cedo e deixou o relatório _____ metade.
   B: Vamos ter de terminá-lo _____ ele.

4| A: Você vai ser transferido _____ o Departamento de Compras?
   B: Não, pensei melhor. O salário seria o mesmo, seria como trocar seis _____ meia-dúzia.

5| A: Você vai _____ a Ásia a trabalho?
   B: Vou, sim. Acho que vou ficar lá _____ dois ou três meses.

6| A: _____ quem é essa correspondência?
B: _____ o Departamento de Pessoal. São currículos enviados _____ correio.

7| A: Você ligou _____ o cliente hoje?
B: Ainda não. Antes vou passar _____ departamento de Vendas para conseguir mais detalhes do pedido. Então ligo _____ ele.

8| A: _____ quanto tempo você trabalhou na Europa?
B: _____ três anos antes de voltar _____ cá.

9| A: Estas crônicas foram escritas _____ Luís Fernando Veríssimo?
B: Não. Foram escritas _____ Fábio Porchat _____ o jornal O Estado de São Paulo.

10| A: _____ amor de Deus! Baixe o volume deste rádio! Está alto _____ caramba!
B: Desculpe. Não percebi que você já tinha chegado _____ o jantar.

vi MUITO – POUCO – DEMAIS

• MUITO

Muito (advérbio) – invariável. Vem antes de adjetivos, advérbios e depois de verbos.	Ela é **muito** alta. Os livros estão **muito** caros. Nós estamos **muito** bem aqui. Ela trabalha **muito**.
Muito/ muita/ muitos/ muitas (adjetivo) – variável. Vem antes de substantivos (nomes)	**Muitas** pessoas trabalham aqui. Ele tem **muitos** problemas. Nós não temos **muito** dinheiro. Você tem **muita** paciência.

• POUCO

Pouco / um pouco (advérbio) – invariável. Vem antes de adjetivos, advérbios e depois de verbos.	Ela é **um pouco** alta. Os livros estão **um pouco** caros. Chegamos **um pouco** rápido demais. Ela trabalha **pouco**.
Pouco / pouca / poucos / poucas (adjetivo) – variável. Vem antes de substantivos (nomes)	**Poucas** pessoas trabalham aqui. Ele tem **poucos** problemas. Nós temos **pouco** dinheiro. Você tem **pouca** paciência.

• DEMAIS

É advérbio, portanto, invariável. Vem sempre depois de adjetivos, advérbios, substantivos e verbos.	Ela é alta **demais**. Os livros estão caros **demais**. Nós estamos bem **demais** aqui. Ela trabalha **demais**. Pessoas **demais** trabalham aqui. Ele tem problemas **demais**.

Este museu é lindo *demais*!

Exercícios

1 Use *muito* e o flexione, se necessário.

a. Ele tem tempo.
b. Nós não somos ricos.
c. Eles não se esforçam.
d. A recepcionista está gorda.
e. Eles vão ao cinema.
f. Ela fala.
g. Ela fala bem inglês.
h. O chefe nos ajudou.
i. Eles compraram roupas.
j. A chefe está contente.
k. Não estou feliz.
l. João tem dinheiro.
m. Ele tem cartões de crédito.
n. Os adolescentes são preguiçosos.
o. Estudamos para a prova.
p. Ela não é inteligente.
q. Tudo foi rápido.
r. A Torre Eiffel é alta.
s. Não fale alto.
t. A sala é grande.
u. Eles são. (= grande número)
v. Temos cadeiras aqui.

2 Use *pouco / um pouco*:

a. Há móveis no apartamento.
b. Ela fala baixo.
c. O funcionário se esforça.
d. Nós somos fortes.
e. Temos coisas para conversar.
f. Esta rua é tranquila.
g. As modelos são magras.
h. A vida é corrida aqui.
i. Você não tem perguntas, mas tem respostas.
j. O trânsito está ruim hoje.
k. Trabalha-se aqui.
l. Ela veio aqui vezes.
m. Tudo está mais claro agora.
n. Ela vem aqui.
o. Você quer o café com açúcar?
p. Há móveis no apartamento.
q. Meu amigo vai ao cinema.
r. Ela compra coisas no supermercado.

3 Use *demais*:

a. Você é doida.
b. Ele trabalha no projeto.
c. O chefe é cuidadoso.
d. O professor fala bem o inglês.
e. Há gente nesta cidade.
f. Há carros nas ruas.
g. O Japão é longe.
h. Ela dorme.
i. Os jovens comem bobagens.
j. Ele fala bobagens.
k. Já temos problemas.

VII   CADA vs. TODO

Cada	Invariável:	**Cada** funcionário recebeu um presente. **Cada** macaco no seu galho.
Todo	Variável:	**Todo** homem é mortal. **Toda** vez que ele vem aqui, fala de trabalho. **Todos** os funcionários estão no evento. **Todas** as manhãs tomamos café juntos.
Tudo	Invariável:	Ela sabe **tudo** de geografia. Está **tudo** bem.

• **Sentidos:**

Cada	Individualiza:	**Cada** pessoa é única. Gosto de **cada um** dos meus amigos. Cuido de **cada uma** das minhas coisas.
	Usado sempre com o singular:	Ela fala isso **cada** vez que pergunto. Em uma briga, **cada** lado tem sempre suas razões. A empregada vem a **cada** dois dias.
	Enfatiza:	Ela comprou **cada** coisa linda na Alemanha! Você fala **cada** coisa! (= **cada** coisa estranha)
Todo	Especifica em relação ao todo:	**Todo** dia levanto às 6h. **Toda** semana almoçamos em um restaurante.

Todos	Dá ideia de totalidade:	**Todos** os cidadãos têm seus direitos. **Todos** vêm à festa. (= todo mundo) **Todas** as pessoas têm suas necessidades.
Todo	Dá a ideia de inteiro/ completo:	Trabalhei o dia **todo**. (= o dia inteiro) Li o livro **todo**. A sala **toda** foi reformada.
Tudo	Dá a ideia de totalidade: (= everything)	Ela fala **tudo** o que pensa. Nós sabemos **tudo** de informática. Os brasileiros conhecem **tudo** de futebol.

Exercícios

Complete com todo, toda, todos, todas, tudo ou cada:

1| A: Você precisa comprar _____ o que vê na loja?
B: Mais ou menos: _____ vez que vejo uma promoção, não resisto. Comprei muitas roupas para _____ a família dessa vez, pagando muito pouco _____ peça.

2| O Roberto é muito engraçado: ele conta _____ história difícil de acreditar. Aliás, acho que não se pode levar a sério _____ o que ele diz.

3| A Ana trouxe uma lembrança para _____. Para _____ amigo, ela comprou algo especial.

4| Numa certa época, havia camelôs em _____ esquina do centro da cidade.

5| Quando chegou, disse bom dia a _____ e pediu que _____ um o procurasse para uma conversa mais tarde.

34 AS PALAVRAS

6| Ontem esqueci o guarda-chuva e peguei a maior chuva. Hoje levei o guarda-chuva e acabei esquecendo no ônibus. _____ coisa que me acontece...

7| Ela fica mais esperta _____ dia que passa.

8| A: Aquela criança comeu _____ os doces?
B: Não. Ela deu um doce para _____ um dos amiguinhos.

9| Este bairro tem _____ apartamento bonito! Pena que são tão caros.

10| _____ dia ela aparece com uma roupa diferente. Parece que ela andou renovando o guarda-roupa _____.

11| Você já tirou _____ as dúvidas que tinha?

12| _____ vez que o telefone tocava, eu pensava que era de algum *call center* querendo me vender alguma coisa.

13| Nem _____ as ruas da cidade são pavimentadas.

14| Eu me lembro de _____ favor que você me fez.

15| Ela precisa tomar o antibiótico _____ seis horas durante _____ a semana.

16| A faxineira vem a _____ dois dias, lava e passa _____ a roupa e limpa _____ o apartamento.

17| Ele me pede dinheiro _____ vez que sai com os amigos.

18| Nós nos vemos _____ os dias, mas tentamos curtir _____ minuto juntos.

19| _____ vez que ele aparece, as crianças ficam malucas: ele sempre traz um presentinho para _____ uma delas

VIII ALGUÉM – NINGUÉM / ALGUM – NENHUM

Afirmativo	Negativo
alguém	ninguém
algum	nenhum
alguma	nenhuma
alguns	-
algumas	-
algo / alguma coisa	nada / coisa nenhuma / coisa alguma

Exemplos:

1. – Há **alguém** em casa? – Não, **ninguém**.
2. – Você tem **alguma** dúvida? – Não, **nenhuma**.
3. – Você quer beber **algo**? – Não, **nada**. Obrigada.
4. Temos **alguns** problemas na produção, mas **nenhum** problema na administração.
5. Precisamos comprar **algumas** frutas no supermercado.
6. Ela não sabe **nada** porque ela não estudou **coisa nenhuma**.

Não há ninguém por aqui.

Exercícios

1 Faça como no exemplo:
– Há alguém em casa? – *Não, ninguém.*

a. – Você tem algum problema?
b. – Ela precisa de alguma coisa?
c. – Você vê algo?
d. – Eles conhecem alguém na cidade?
e. – Alguém telefonou?
f. – Ela comprou algumas roupas?
g. – A secretária falou algo?
h. – A cliente comprou alguma coisa?
i. – Você viu alguém?
j. – Há alguém no escritório?
k. – Você estudou alguma coisa?

2 Preencha os espaços com algum / nenhum; alguém / ninguém etc.

a. Tento encontrar _____ no escritório, mas não há _____ lá.
b. — Você aceita algo para beber? — Não, _____. Obrigado.
c. Tenho _____ amigos em Londres.
d. — Você precisa de _____? — Não, _____.
e. Temos de tratar de _____ assuntos importantes na reunião.
f. — Ele tem _____ problema? — Não, _____.
g. — Não temos _____ a ver com a incompetência do fornecedor.
h. — Vocês têm _____ pergunta? — Não, _____.
i. O telefone toca sem resposta: não há _____ no escritório.
j. Temos _____ roupas quase novas para doação.
k. A cidade tem sempre _____ problemas sérios de trânsito.
l. Você tem _____ para fazer hoje à noite?

3 Termine ou inicie as frases:

a. Ninguém neste país _____
b. Alguém precisa _____
c. Algumas pessoas nesta cidade _____
d. _____ tem algum dinheiro?
e. _____ usam de alguma influência para resolver os problemas.
f. Algum dia eu _____

4 Faça frases:

a. Alguém _____
b. Ninguém _____
c. Algum _____
d. Algo _____
e. Nada _____
f. Coisa nenhuma _____
g. Algumas _____
h. Nenhuma _____

IX Comparativos

Adjetivos e Advérbios:	**Superioridade:** mais... (do) que	Ela é **mais** alta **do que** João.
	Inferioridade: menos... (do) que	João é **menos** alto **do que** ela.
	Igualdade: tão... quanto	Elas são **tão** altas **quanto** eu.

Substantivos:	**Superioridade:** mais... (do) que **Inferioridade:** menos... (do) que **Igualdade:** tanto... quanto	Ela tem **mais** trabalho **do que** nós. Nós temos **menos** trabalho **do que** ela. Eu tenho **tanto** trabalho **quanto** você.
Verbos:	**Superioridade:** mais (do) que **Inferioridade:** menos (do) que **Igualdade:** tanto quanto	Ela trabalha **mais do que** nós. Nós trabalhamos **menos do que** ela. Nós trabalhamos **tanto quanto** você.

Maria é **mais alta do que** José.
José é **menos alto do que** Maria.

Maria é **maior do que** José.
José é **menor do que** Maria.

Maria é **tão** simpática **quanto** José.

• **Comparativos Irregulares:**

bom / boa ruim, mau, má grande pequeno / pequena	**melhor (do) que** **pior (do) que** **maior (do) que** **menor (do) que**	Computador é melhor do que máquina de escrever. O Rio de Janeiro é menor do que São Paulo.

Mas: **tão** bom / boa / bem / ruim / mau / má / mal / pequeno / pequena **quanto**

Esta cidade é **tão** boa **quanto** a outra.
Esta rua é **tão** pequena **quanto** aquela.
Ele fala **tão** bem inglês **quanto** eu.
Sua ideia é **tão** boa **quanto** a minha.

Exercícios

1 Complete com tanto / tanta / tantos / tantas:

a. Eu tenho _____ problemas quanto meus colegas.
b. Ela tem _____ tempo quanto eu.
c. Todos conhecem _____ lugares quanto você.
d. A secretária atendeu _____ pessoas quanto nós.
e. A criança comprou _____ brinquedos quanto a amiguinha dela.
f. A professora tem _____ paciência quanto eu.

2 Faça frases:

a. João / problemas / eu (+)
_____

b. O chefe / tempo / nós (−)
_____

c. Os EUA / grande / o Brasil (+)
_____

d. O Brasil / pequeno / a China (+)

e. Foz do Iguaçu / bonito / São Paulo (+)

f. A chefe / ter trabalho / eu (=)

g. A chefe / ser ocupada / eu (=)

3 Faça uma comparação de superioridade, uma de inferioridade e uma de igualdade entre:

	Superioridade	Inferioridade	Igualdade
Cidade e praia.			
Apartamento e casa.			
Ler e assistir TV			
Supermercado e hortifrúti			

x Tão e Tanto

Usados para intensificar adjetivos, advérbios, substantivos e verbos.

Tão + adjetivo
– Esta cidade é **tão grande**!
– Ele é **tão competente**!

Tão + advérbio
– As pessoas dirigem **tão depressa**!
– Ela se expressa **tão bem**!

Verbo + tanto	– Minha filha **fala tanto**! – Ele **trabalha tanto**!
Tanto(s), tanta(s) + substantivo	– Nós temos **tantos problemas**! – Eles têm **tanta pressa**! – Eu não tenho **tanto dinheiro**! – Essa livraria tem **tantos livros** importados!

Pode-se continuar a linha de pensamento usando o pronome relativo QUE:

O clube está *tão* tranquilo *que* tenho vontade de dormir...

tão + adjetivo/ advérbio + que	– Esta cidade é **tão bonita que** quero me mudar para cá. – Ele é **tão competente que** terminou o trabalho em quinze minutos. – O Japão é **tão longe** daqui **que** leva 24 horas de avião até lá.
verbo + tanto que	– Ela **trabalha tanto que** não tem tempo para a família. – Nós **viajamos tanto que** não podemos economizar dinheiro.
tanto(s), tanta(s) + substantivo + que	– Ela tem **tantos problemas que** precisa de ajuda. – Hoje temos **tantas reuniões que** vamos chegar mais tarde em casa. – A motorista está com **tanta pressa que** passou no farol vermelho.

Exercícios

1 Use tão, tanto(s), tanta(s) onde necessário:

a. Ela tem pressa.
   Ela tem tanta pressa!
b. Nós vamos devagar.
c. A moça fala rápido.
d. As pessoas trabalham nesta cidade.
e. Ela fala.
f. Esta fachada ficou bonita.
g. Nós caminhamos no parque.
h. Eles falam alto.
i. Gostamos de você.
j. Preciso descansar.
k. A cidade é grande.
l. O rio está poluído.
m. O sapato me aperta os pés.
n. Ela escreve e-mails.
o. Nós compramos frutas.
p. As frutas estão baratas.

2 Ligue as colunas:

a. Andei tanto...
b. Trabalho tanto...
c. Ela é tão linda...
d. O sol brilha tanto...
e. Hoje está tão quente...
f. O projeto é tão simples...
g. A ideia é tão complexa...
h. Ela fala tão alto...

que...

quase fico surdo ao telefone.
meus pés estão doendo.
não posso entendê-la.
ficou pronto em uma semana.
não tenho tempo para os amigos.
o ar-condicionado não é suficiente.
preciso usar óculos escuros.
todos olham quando ela passa.

3 Complete as frases:

a. Ela fala tanto que
b. Nós trabalhamos tanto que
c. É tão longe até minha casa
d. São tantos problemas que
e. Meu carro é tão velho
f. Minha vida às vezes é tão difícil

XI Superlativo

• Superlativo Relativo

Adjetivo	Superioridade	Inferioridade
alto	o mais alto / a mais alta	o menos alto / a menos alta
magro	o mais magro / a mais magra	o menos magro / a menos magra
rápido / rápida	o mais rápido / a mais rápida	o menos rápido / a menos rápida
bom / boa	o melhor / a melhor	o menos bom / a menos boa
mau / má / ruim	o pior / a pior	o menos mau / a menos má
grande	o maior	o menor

Exemplos:
São Paulo é a **maior** cidade da América Latina.
Borá é a **menor** cidade do Brasil.
A Kingdom Tower, na Arábia Saudita, será a torre **mais alta** do mundo.
O Amazonas é o rio **mais volumoso** do mundo.

O Fusca é o carro *mais popular* do interior de São Paulo.

• **Superlativo Absoluto**

Adjetivo/Advérbio	Analítico	Sintético
forte	muito forte	fortíssimo
perto	muito perto	pertíssimo
sujo	muito sujo	sujíssimo
limpo	muito limpo	limpíssimo
pouco	muito pouco	pouquíssimo
amável	muito amável	amabilíssimo
feliz	muito feliz	felicíssimo
novo	muito novo	novíssimo
fácil	muito fácil	facílimo
difícil	muito difícil	dificílimo
bom/bem*	muito bom/bem	ótimo
mau/mal/ruim*	muito mau/mal/ruim	péssimo
grande	muito grande	grandíssimo / máximo
pequeno	muito pequeno	pequeníssimo / mínimo

(*) MAL é oposto de BEM; MAU é oposto de BOM

Exemplos:
Estou muito cansada hoje. Estou **cansadíssima**.
O meu apartamento é muito pequeno. O meu apartamento é **mínimo**.

Exercícios:

1 Escolha a alternativa correta:

a. Qual é o maior país?
   o Brasil — a França — a Espanha

b. Qual elefante tem as maiores orelhas?
   o indiano — o africano — o americano

c. Qual é a montanha mais alta?
o Pico da Neblina — o Monte Everest — o Monte Fuji

d. Qual é o país mais populoso?
o Brasil — a Índia — a China

e. Quem foi a primeira-ministra mais famosa da Grã-Bretanha?
Margaret Thatcher — Indira Gandhi — Dilma Roussef

2 Use o **Superlativo Sintético**.

a. Hoje estou muito ocupado.
Hoje estou ocupadíssimo.

b. O ônibus está muito cheio.

c. Minha casa é muito pequena.

d. Os brasileiros são muito amigáveis.

e. Esta estrada é muito ruim.

f. A vida aqui é muito boa.

g. Ele faz um trabalho muito bom.

h. O Rio de Janeiro é uma cidade muito bonita (bela).

i. São Paulo é uma cidade muito movimentada.

j. As pessoas no escritório são muito amáveis.

XII MASCULINO E FEMININO (1)

A regra geral para classificar os substantivos é:

Os terminados em o são masculinos. Artigos: o, os, um, uns. Do, dos. Pronomes: Este, esse, aquele, estes, esses, aqueles. Meu, meus.

Os terminados em a são femininos. Artigos: a, as, uma, umas. Da, das. Pronomes: Esta, essa, aquela, estas, essas, aquelas. Minha, minhas.

• **Exceções:**

1 **Modelo:** a sociedade, a idade, a probabilidade, a igualdade, a criminalidade, a cidade, a legitimidade.

2 **Modelo:** a tese, a hipótese, a metamorfose, a esclerose.

3 **Modelo:** a dimensão, a invasão, a colisão, a tentação, a improvisação, a marcação, a condição, a maldição, a imensidão, a solidão, a convenção, a intervenção, a coesão, a concentração, a confusão, a diminuição, a lição. Mas: o portão, o coração.

4 **Modelo:** a atriz, a embaixatriz, a raiz, a imperatriz, a matriz. Mas: o aprendiz, o matiz, o nariz.

Boa viagem!

MASCULINO E FEMININO (1) 47

5 Modelo: a viagem, a paisagem, a reportagem, a coragem, a linguagem, a imagem, a enfermagem, a contagem, a bobagem, a sondagem, a linhagem, a montagem, a garagem. Mas: a personagem ou o personagem.

6 Modelo: o computador, o isopor, o rigor, o motor, o penhor, o odor, o sabor, o amor. Mas: a cor, a flor, a dor.

7 Modelo: o jornal, o quintal, o matagal, o lamaçal, o animal, o hotel, o anel, o papel, o céu, o troféu, o escarcéu, o mausoléu.

8 Modelo: o crime, o time, o vime, o índice.

9 Modelo: o telegrama, o programa, o cinema, o sistema, o poema, o telefonema, o esquema, o sintoma, o idioma, o dia, o clima, o mapa.

10 Modelo: o sofá, o crachá, o guaraná, o mapa, o Paraná, o Amapá, o atlas, o planeta, o dia, o alerta.

Mudança de sentido na mudança de gênero*:

Masculino	Feminino	Masculino	Feminino
o cabeça	a cabeça	o guarda	a guarda
o caixa	a caixa	o guia	a guia
o capital	a capital	o moral	a moral
o grama	a grama	o cobra	a cobra

Exercícios

1 Complete:

a. ▢ sociedade de hoje percebe ▢ dimensão ▢ problema ▢ criminalidade

48 AS PALAVRAS

b. ____ grande atriz chegou ao aeroporto depois ____ viagem que fez ao oriente.
c. Preciso usar ____ computador para escrever ____ reportagem.
d. ____ jornal de ontem falava sobre ____ confusão que aconteceu durante o protesto.
e. ____ cidade de São Paulo é enorme.
f. Aqui está ____ índice do livro.
g. ____ Corinthians é ____ maior time de futebol paulista.
h. ____ sofá é desconfortável aqui, e ____ imagem desta televisão está tremendo.
i. Você conhece ____ linguagens de computação?
j. ____ sabores ____ comida brasileira são muitos e variados.
k. ____ operação foi um sucesso: ____ paciente pode ir para ____ UTI em alguns minutos.

2 Use o artigo de acordo com o sentido

a. Precisamos saber quem é ____ cabeça desta organização.
b. ____ cabeça do leão é muito grande.
c. ____ caixa da loja está sem ninguém. Precisamos urgentemente que ____ caixa volte do almoço logo.
d. Brasília é ____ capital do Brasil.
e. ____ capital para investir em Infraestrutura precisa ser maior.
f. Bill Gates é ____ cobra em microcomputadores.
g. O Instituto Butantã cria ____ diversas cobras brasileiras para extrair seu veneno.
h. O pessoal está com ____ moral ruim depois de perder o jogo para o time adversário.
i. ____ guia da excursão falou sobre os vários pontos turísticos da cidade.
j. ____ guarda municipal conta com ____ melhores guardas disponíveis.
k. ____ grama do ouro subiu hoje.

(*) o cabeça = o líder; a cabeça = parte do corpo; o caixa = pessoa que recebe o pagamento na loja; a caixa = máquina para dinheiro; o capital = o dinheiro; a capital = a cidade principal; o grama = medida de peso; a grama = relva; o guarda = o policial; a guarda = grupo de policiais; o guia = pessoa; a guia = borda da calçada; o moral = motivação; a moral = regras de comportamento; o cobra = o especialista; a cobra = animal que rasteja.

XIII MASCULINO E FEMININO (2)

1 Modelo: aluno – aluna; gato – gata.
A maioria dos substantivos terminados em *o* átono formam o feminino substituindo-se o *o* pelo *a*. Ex.: noivo – noiva; lobo – loba; menino – menina; pombo – pomba.
Exceção: galo – galinha

2 Modelo: professor – professora; freguês – freguesa
Os substantivos terminados em *ês*, e muitos terminados em *or*, formam o feminino com o acréscimo de *a*. Ex.: aviador – aviadora; senhor – senhora; cantor – cantora; camponês – camponesa; leitor – leitora; pastor – pastora; pintor – pintora; senador – senadora.
Exceções: ator – atriz; embaixador – embaixatriz; imperador – imperatriz

3 Modelo: irmão – irmã
A maior parte dos substantivos terminados em *ão* forma o feminino substituindo *ão* por *ã*. Exemplos: ancião – anciã; anfitrião – anfitriã; campeão – campeã; cidadão – cidadã; cristão – cristã; órfão – órfã; pagão – pagã; irmão – irmã.

4 Modelo: leão – leoa
Ex.: patrão – patroa; pavão – pavoa; leitão – leitoa.

5 Modelo: valentão – valentona
Ex.: comilão – comilona; resmungão – resmungona; respondão – respondona; solteirão – solteirona.
Exceções: cão – cadela; ladrão – ladra; sultão – sultana.

6 Modelo: mestre – mestra
Ex.: monge – monja; elefante – elefanta; parente – parenta; presidente – presidenta.

7 Modelo: o estudante – a estudante
Ex.: aborígene, agente, artista, camarada, cliente, colega, crente,

dentista, estudante, imigrante, indígena, intérprete, jornalista, pianista, protestante, selvagem, servente, mártir.

8 Substantivos de um só gênero.
Ex. para pessoas: o apóstolo, o algoz, o carrasco, o cônjuge, a criança, a criatura, a testemunha, a vítima.
Ex. para animais e plantas: a águia, a cobra, o jacaré, o rouxinol, o tigre, a pulga, a palmeira, o mamoeiro.

9 Femininos de radicais diferentes.
Ex.: boi (e touro) – vaca; bode – cabra; carneiro – ovelha; cavaleiro – amazona; cavalheiro – dama; cavalo – égua; compadre – comadre; frade – freira; genro – nora; homem – mulher; marido – mulher; padrasto – madrasta; padrinho – madrinha; pai – mãe; zangão – abelha.

10 Femininos irregulares: ateu – ateia; europeu – europeia; avô – avó; czar – czarina; deus – deusa; herói – heroína; judeu – judia; juiz – juíza; plebeu – plebeia; rapaz – rapariga; réu – ré.

Exercícios

Passe para o feminino.
Ex.: O leitão vai ser abatido para a festa.
   A leitoa vai ser abatida para a festa.

1| O professor já está na sala de aula.

2| Os portugueses dançam muito bem.

3| Os europeus são muito sérios.

4| O anfitrião está recebendo os convidados na porta.

MASCULINO E FEMININO (2)   51

5| O agente secreto foi descoberto.

6| Ele é um verdadeiro mestre das artes marciais.

7| Os fiéis já lotam a igreja para a missa.

8| O secretário avisou o presidente sobre a greve dos motoristas.

9| O pai daquela criança não compareceu à reunião.

10| Os funcionários vão fazer greve amanhã.

11| O embaixador dos Estados Unidos vai estar presente à solenidade.

12| Meu irmão mora no exterior.

13| Ele é libanês, mas seus filhos são franceses.

14| O noivo já está chegando na igreja.

15| Os convidados estão muito agitados pela demora.

16| Este é o banheiro dos homens.

17| O cliente está muito nervoso – precisamos acalmá-lo.

18| Vou ao dentista hoje. Depois marco hora para o médico.

19| Os protestantes são na maioria europeus.

20| O empregado está cuidando das crianças.

XIV PLURAL (1)

Regra geral: use o S no final da palavra:

mala → malas	professor → professores
estudante → estudantes	mês* → meses
jabuti → jabutis	raiz → raízes
carro → carros	
urubu → urubus	portão → portões**
	mão → mãos
hotel → hotéis	pão → pães
portátil → portáteis	
	item → itens
azul → azuis	
barril → barris	
funil → funis	

(*) Exceções: o lápis, os lápis; o ônibus, os ônibus; o pires, os pires
(**) a maioria das palavras terminadas em ÃO têm seu plural em ÕES

Exercícios

1 Passe para o plural:

a. a árvore — *as árvores*
b. a entrada
c. o chefe
d. a secretária
e. o poste
f. o diretor
g. a colher
h. o português
i. o japonês
j. o papel
k. o jornal
l. nacional
m. multinacional
n. a paz
o. a reunião
p. a razão
q. o coração
r. a viagem
s. a reportagem
t. o trem

2 Passe as frases abaixo para o singular:

a. Os homens destas empresas são muito importantes.

b. Os trens chegam em ponto nas estações.

c. As reuniões com os diretores acontecem sempre de manhã.

d. Estes meses de inverno estão mais chuvosos do que o normal.

e. Os aviões fazem viagens intercontinentais todas as semanas.

f. Os carros azuis são dos professores. Os automóveis pretos são das diretoras.

g. O pães alemães são mais saborosos do que os pãezinhos franceses.

h. As romãs são frutas saborosas e ricas em vitaminas.

xv   PLURAL (2)

1 **Modelo:** as bananas-prata, as palavras-chave, os públicos-alvo (a segunda palavra define o tipo da primeira. Não muda).

2 **Modelo:** os guarda-chuvas, os vai e vem, os bota-fora, os diz que diz (somente substantivos mudam. Verbos e advérbios não mudam)

3 **Modelo:** ítalo-brasileiros, verde-claros, sino-americanos, político-sociais (em adjetivos compostos, somente o segundo muda)

4 **Modelo:** blusas amarelas, mas: blusas laranja; carros azuis, mas: carros vinho; pastas verdes, mas: pastas rosa. Nomes, quando usados como cores, não mudam.

AS PALAVRAS

Obs.: calças azul-marinho; olhos azul-celeste; malhas verde-limão.

5 **Modelo:** algumas palavras mudam de sentido quando no plural. Exemplos: féria (rendimento do dia) e férias (período anual de descanso); vencimento (final do prazo) e vencimentos (salário); costa (litoral) e costas (dorso); bem (virtude) e bens (patrimônio).

Exercícios

1 Passe para o plural:

a. A palavra-chave
b. O bota-fora
c. O mercado anglo-saxão
d. A reunião técnico-política
e. Um casaco cinza
f. Uma blusa amarelo-ovo
g. A cooperação técnico-administrativa
h. Uma calça azul-marinho
i. Uma camisa verde e uma gravata azul
j. O cabelo castanho-escuro

2 Passe as frases para o singular:

a. As organizações político-administrativas europeias são muito eficientes.

b. Os altos executivos destas empresas franco-brasileiras são estrangeiros.

c. As blusas do uniforme são azul-claras, e as calças são azul-marinho.

d. Os cabelos castanho-escuros são muito comuns aqui.

e. Os interesses sino-brasileiros indicam alta nas exportações.

f. Os relatórios têm as palavras-chave no seus títulos.

XVI Pronomes Pessoais: EU, ME, MIM, COMIGO; ELE, O, LO, NO, LHE etc.

eu	me	mim	comigo
nós	nos	nós	conosco

1 **Eu** vejo Maria, e ela **me** vê.
   Eu gosto de Maria, e ela gosta **de mim**.
   Maria trabalha **comigo**.

2 **Nós** vemos Maria, e ela **nos** vê.
   Nós gostamos de Maria, e ela gosta **de nós**.
   Maria trabalha **conosco**.

você	o, a	lo, la	no, na	lhe*
ele	o	lo	no	lhe
ela	a	la	na	lhe
vocês	os, as	los, las	nos, nas	lhes*
eles	os	los	nos	lhes
elas	as	las	nas	lhes

(*) lhe = para / a você, ele, ela
(**) lhes = para / a você, ele, ela

3 **VOCÊ:** Eu vejo você no escritório. Eu **o / a** vejo no escritório.
   Vou ver você no escritório. Vou vê-**lo / la** no escritório.
   Veem você no escritório. Veem-**no / na** no escritório.
   Dou um presente para você. Dou-**lhe** um presente.

4 ELE: Vejo o chefe no escritório. Vejo-**o** no escritório / Eu **o** vejo no escritório.
Vou ver o chefe no escritório. Vou vê-**lo** no escritório.
Veem o chefe no escritório. Veem-**no** no escritório.
Dou um presente para ele. Dou-**lhe** um presente.

5 ELA: Vejo a diretora na reunião. Vejo-**a** na reunião / Eu **a** vejo na reunião.
Vou ver a diretora na reunião. Vou vê-**la** na reunião.
Veem a diretora na reunião. Veem-**na** na reunião.
Dou um telefonema para ela. Dou-**lhe** um telefonema.

No plural, basta acrescentar um S final: Vejo-as, vejo-os, vou vê-las, vou vê-los, veem-nas, vem-nos, vou dar-lhes.

Exercícios

1 Substitua os termos em negrito pelos pronomes pessoais *me, nos, o, a, os, as, lo, la, los, las, no, na, nos, nas, lhe, lhes*:

a. A secretária trouxe o arquivo *para mim*.

b. A recepcionista atendeu *o cliente* hoje de manhã.

c. Os clientes trouxeram *seus cartões* para o diretor.

d. Os clientes trouxeram seus cartões *para o diretor*.

e. Ontem fizemos uma visita *ao nosso fornecedor*.

f. Fiquei de entregar *o projeto* aos gerentes ainda hoje.

g. Fiquei de entregar o projeto *aos gerentes* ainda hoje.

h. Não vi *as notícias* ontem.

i. Comprei *presentes* para todos os meus amigos.

j. Comprei presentes *para todos os meus amigos*.

k. Os convidados levaram *um bolo* para o aniversariante.

l. Os convidados levaram um bolo *para o aniversariante*.

m. Eu levo *as crianças* para a escola.

n. À tarde, minha esposa vai buscar *as crianças*.

o. A secretária não disse *"bom dia"* para mim hoje.

p. A secretária não disse "bom dia" *para mim* hoje.

q. Ela sempre diz *o que pensa* para os amigos.

r. Ela sempre diz o que pensa *para os amigos*.

s. Os pais deram *presentes de natal* às crianças.

t. Os pais deram presentes de natal *às crianças*.

u. Vamos elevar *os preços das mercadorias* este mês.

v. Ela vai pôr *a mesa* para o jantar.

XVII COLOCAÇÃO DOS PRONOMES O, A, OS, AS etc. nos tempos compostos

Os tempos compostos são formados por um verbo auxiliar e outro principal no infinitivo, no gerúndio ou no particípio passado.

Exemplos: vou comprar; estou comprando; tinha comprado.

O pronome oblíquo deve ficar próximo ao verbo auxiliar ou do principal, exceto quando o principal estiver no particípio.

Exemplos:
Gostei da casa. Vou comprá-**la**. / Vou-**a** comprar. / Eu **a** vou comprar.
Escolhemos o apartamento e estamos comprando-**o** à vista. /
Nós **o** estamos comprando à vista.
Tinham-**lhe** contado* tudo. / Elas **lhe** tinham contado tudo.

(*) No particípio, o pronome nunca vem depois do verbo principal.

Exercícios

1 Coloque os pronomes oblíquos na melhor posição nas frases abaixo.

a. Prefiro enviar *os e-mails* ainda hoje.

b. Prefiro enviar os e-mails *para os clientes* ainda hoje.

c. Estamos vendendo *a empresa* ao nosso concorrente.

d. Estamos vendendo a empresa *ao nosso concorrente*.

e. Ela tem visitado *os museus* nos fins de semana.

f. Os estrangeiros precisam providenciar *o RNE* para morar no Brasil.

g. O governo tem enviado *os CPFs* pelo correio.

h. Gosto de ver *filmes brasileiros*.

i. Estamos lendo *o jornal* no momento.

j. Depois vamos entregar *o jornal* à recepcionista.

k. Depois vamos entregar o jornal *à recepcionista*.

l. Vou apresentar *o novo funcionário* aos seus colegas.

XVIII MESÓCLISE (o pronome do meio do verbo)

Forma mais literária, ocorre quando o verbo está no Futuro do Indicativo (VERÁ) ou no Condicional (VERIA).

Exemplos:
Ela trará o café para a reunião. Ela o trará para a reunião / **Trá-lo-á** para a reunião.
Eles lhe darão a notícia. / **Dar-lhe-ão** a notícia.
Compraremos os presentes. / **Comprá-los-emos**.
Darei a notícia para ele. / **Dar-lhe-ei** a notícia.

Exercícios

1 Faça a mesóclise.
Exemplos: Fará **o café**. / **Fá-lo-á**; Entregarei a carta **a ele**. / **Entregar-lhe-ei** a carta.

a. Trarão *as crianças*.

b. Trariam *as coisas* para ela.

c. Trariam as coisas *para ela*.

d. Encontrariam *a resposta*.

e. Enviarão o telegrama *para nós*.

f. Enviarão *o telegrama* aos funcionários.

g. Compraremos *a casa*.

h. Venderiam *o carro* para mim.

i. Venderiam o carro *para mim*.

j. Plantaremos *arroz* este ano.

k. Colherão *o milho*.

l. Escutaria *o rádio*.

m. Compraria uma casa *para ele*.

n. Compraria *uma casa* para ele.

XIX   Pronomes Possessivos: MEU, MINHA etc.

Pron. Pessoais	Pron. Possessivos
eu →	meu, minha, meus, minhas
você →	seu, sua, seus, suas
ele →	(seu, sua, seus, suas), dele
ela →	(seu, sua, seus, suas), dela

Pronomes Possessivos: MEU, MINHA etc. 61

nós →	nosso, nossa, nossos, nossas
vocês →	seu, sua, seus, suas / de vocês
eles →	(seu, sua, seus, suas), deles
elas →	(seu, sua, seus, suas), delas

Exemplos:

A maçã

Eu	**Minha** maçã é boa.
Você	**Sua** maçã é bonita.
Ele	A maçã **dele** está na geladeira.
Ela	A maçã **dela** está na fruteira.
Nós	**Nossa** maçã é do tipo Gala.
Vocês	**Sua** maçã é do tipo Fuji.
Eles	A maçã **deles** é doce.
Elas	A maçã **delas** está no armário.

As bananas

Eu	**Minhas** bananas estão na fruteira.
Você	**Suas** bananas são Nanica.
Ele	As bananas **dele** são Prata.
Ela	As bananas **dela** estão na geladeira.
Nós	**Nossas** bananas estão na mesa.
Vocês	**Suas** bananas são boas.
Eles	As bananas **deles** estão verdes.
Elas	As bananas **delas** estão maduras.

O limão

Eu	**Meu** limão é tipo Siciliano.
Você	**Seu** limão está bonito.
Ele	O limão **dele** está caro.
Ela	O limão **dela** é bom.
Nós	**Nosso** limão está cortado.
Vocês	**Seu** limão é pequeno.
Eles	O limão **deles** está na fruteira.
Elas	O limão **delas** é muito bom.

Os limões

Eu	**Meus** limões estão azedos.
Você	**Seus** limões vão para a caipirinha.
Ele	Os limões **dele** estão na geladeira.
Ela	Os limões **dela** estão na sacola.
Nós	**Nossos** limões acabaram.
Vocês	**Seus** limões são bons.
Eles	Os limões **deles** estão baratos.
Elas	Os limões **delas** estão caros.

Exercícios

1 Complete com MEU, MINHA, MEUS, MINHAS.

a. Preciso mandar _____ computador para conserto.
b. Gosto de falar com _____ amigos ao telefone.
c. Preciso falar com _____ chefe ainda hoje.
d. Ele é _____ irmão, e ela é _____ cunhada.
e. _____ bairro é muito tranquilo. _____ casa é bem grande.
f. _____ amigas sempre falam comigo no fim de semana.

2 Complete com NOSSO, NOSSA, NOSSOS, NOSSAS.

a. _____ filhos estudam nesta escola.
b. _____ empresa fabrica automóveis.
c. Precisamos organizar _____ coisas no escritório.
d. Onde ficam _____ arquivos?
e. _____ maior problema é a falta de tempo.
f. Eles são amigos _____ .

3 Complete com SEU, SUA, SEUS, SUAS.

a. Renato, como está _____ esposa?
b. Ana, aqui está _____ café.
c. João e Maria, lá estão _____ pais.

d. Helena e Simone, onde está _____ carro?
e. José, hoje eu não vi _____ colega.
f. Pedro, _____ telefone está tocando.

4 Complete com DELE, DELA, DELES, DELAS.

a. (eles) O carro _____ está no estacionamento.
b. (ela) O chefe _____ está na sala dele.
c. (elas) O departamento _____ fica ao lado do meu.
d. (ele) Qual é o problema _____ ?
e. (ele) A blusa _____ está suja.
f. (elas) O trabalho _____ é muito difícil.

xx Pronomes Interrogativos: ONDE, QUANDO, COMO, QUEM, QUANTO, QUAL, O QUE, POR QUE

PRONOMES	Exemplos:
ONDE	Onde você mora? — Moro em São Paulo. Aonde você vai no fim de semana? — Para a praia.
QUANDO	Quando você tem aula? — Nas segundas. Quando ela trabalha? — De manhã.
COMO	Como você vai ao trabalho? — De metrô. Como você está? — Bem, obrigada.
QUEM	Quem é aquele senhor? — É o novo diretor. Quem telefonou? — O cliente.
QUANTO	Quanto custa este PC? Quanto dinheiro você tem? Quanta gente neste lugar! Quantos vão ao restaurante? Quantas pessoas trabalham aqui?

| QUAL | Qual pasta é a sua? — A vermelha.
Quais são os problemas do departamento? — Falta de pessoal qualificado e falta de dinheiro. |
|---|---|
| O QUE | O que você faz? — Sou pintor.
O que ela disse? — Que vai viajar amanhã. |
| POR QUE | Por que você trabalha? — Porque preciso do dinheiro.
Por que ele insiste tanto em sair comigo? — Acho que ele realmente gosta de você. |

Obs.: Na linguagem falada, pode-se acrescentar "é que" após cada pronome.
Exemplos: O que **é que** você faz? Onde **é que** você mora? Quando **é que** você trabalha?

Exercícios

1 Complete as perguntas.

a. _____ é aquela senhora? — É a nova gerente do departamento.
b. _____ são vocês? — Somos os técnicos de informática.
c. _____ você mora? — Moro nos Jardins.
d. _____ ela trabalha? — Todos dos dias, das 8h às 17h.
e. _____ vão à festa? — Acho que eu, você e mais três ou quatro amigos.
f. _____ você faz? — Sou engenheira.
g. _____ o melhor caminho para o Ibirapuera? — Pela Brigadeiro Luís Antônio.
h. _____ eles vão ao escritório? — De táxi.
i. _____ vai fazer o discurso no evento? — A nova diretora de vendas.
j. _____ tempo ainda temos? — Mais cinco minutos.

Pronomes Interrogativos: ONDE, QUANDO, COMO, QUEM, QUANTO, QUAL, O QUE, POR QUE   65

2 Faça as perguntas:

a. — Porque estou muito cansado.
Por que você não levanta mais cedo?

b. — Porque gosto desta cidade.

c. — Vamos de metrô.

d. — Sou o novo engenheiro de produção.

e. — Custa R$500,00.

f. — Estamos bem, obrigada.

g. — Vamos para Santos no domingo.

h. — Moro em Londrina, no Paraná.

i. — Minhas malas são essas.

j. — Volto para o Japão ano que vem.

3 Responda às perguntas e depois entreviste um colega/seu professor:

a. Qual é o seu nome?
b. Onde é que você mora? Qual é o seu endereço?
c. Qual é o seu email?
d. Qual é o número do seu celular?
e. Onde é que você trabalha?
f. O que é que você faz?
g. Por que é que você está aqui hoje?
h. Quanto tempo você vai ficar neste país?

XXI Usos dos PORQUÊS

1 PORQUE: uma só palavra.
É o único que traz uma explicação depois dele. Pode ser substituído por: POIS, UMA VEZ QUE, JÁ QUE, POR CAUSA QUE.

Exemplos:
Ela trabalha muito porque busca uma promoção.
Nós vamos à reunião porque precisamos discutir este assunto.
Eles estão descontentes porque não conseguiram um aumento?

2 POR QUE: duas palavras.
É usado em perguntas (= por que razão) ou quando significa PELO(A) QUAL.

Exemplos:
Por que ela trabalha tanto?
Por que vocês não vêm à reunião hoje?
O problema por que passamos foi muito grande.

3 POR QUÊ: duas palavras, com acento gráfico.
É usado nos mesmos casos do POR QUE sem acento, porém seguido de pontuação.

Exemplos:
Ela trabalha tanto por quê?
Eles não vêm à reunião, eu não sei por quê.

4 O PORQUÊ: uma palavra, porém está substantivado.
Pode ser substituído por: A RAZÃO, O MOTIVO. Por ser substantivo, tem plural.

Exemplos:
Preciso entender o porquê de ele agir assim.
Quais são os porquês de o mercado reagir dessa forma?

QUE: pronome relativo, possui acentuação gráfica (QUÊ) quando substantivado (= algo) ou quando seguido de pontuação.

Exemplos:
Este é o engenheiro que começa hoje na empresa.
O que você faz aqui?
Você faz o quê?
Suas palavras têm um quê de ameaça.

Exercícios

Complete com *por quê, por que, porque, porquê, que, quê*:

1| _____ você não trabalha?
2| Ele não estuda _____ não quer.
3| Não trabalha _____ ?
4| Não entendo o _____ de semelhantes atitudes.
5| Gostaria de saber o motivo _____ você não veio.
6| Não sei _____ ela não gosta de mim.
7| Ela tem um _____ que agrada.
8| Nem sempre chegamos a saber o _____ das coisas.
9| Não temos _____ desistir.
10| _____ ela está assim, _____ seu amigo não veio?
11| Teresa fez isso não sei _____ .
12| Não sei o _____ de Teresa ter feito isso.
13| _____ Teresa fez isso?
14| O chefe não veio _____ tinha reunião fora?
15| Você me xingou _____ ?
16| Tenho a sensação de ter esquecido alguma coisa, mas não sei o _____ .
17| Não sabemos _____ as coisas são assim.
18| Preciso saber o _____ desse comportamento estranho.
19| Ele repetiu _____ não estudou?
20| Os lugares _____ estive muito me ensinaram.

21| Este lugar tem um _____ sinistro.
22| Vamos muito ao parque _____ gostamos de praticar esportes.
23| Você não terminou o trabalho _____ ?
24| De quantos _____ você vai precisar até se decidir?
25| O _____ você disse?
26| Ela sabe _____ estamos aqui? Ela tem noção da razão _____ viemos?
27| O trem em _____ viajamos estava lotado.
28| A pessoa de _____ lhe falei, está lá fora.
29| _____ ele não para de falar, ela decidiu sair da sala.
30| Quero saber o _____ desse comportamento repreensível.
31| Quem é _____ deixou a toalha molhada em cima da cama?
32| A rua _____ passei, estava cheia _____ havia uma festa lá.
33| Preciso de um _____ bem convincente para aceitar isso.

xxii Preposições (1): regência verbal

Alguns verbos não precisam de preposição.
Exemplos: Eu **como** massa e **bebo** vinho. / Ela **ganhou** um milhão de reais.

Outros verbos exigem uma preposição.
Exemplos: **Gosto de** São Paulo porque prefiro **trabalhar em** uma grande cidade.

Verbo	Antes de substantivo	Antes de verbo	Verbo	Antes de substantivo	Antes de verbo
acabar	-, com	de	intervir	em	-
acatar	-	-	investir	-, em	-
aceitar	-	-	jogar	-, em	-
acertar	-, em	de	modificar	-	-
acostumar-se	a, com	a	morrer	de, por	de
acreditar	em	-	lembrar*	-	de
ajudar	-	a	lembrar-se	de	de
aprender	-	a	mudar	-, de, para	-

buscar	-	-	parar	-	de	
concordar	com	em	pedir	-	para	
continuar	-, com	a	pensar	em, sobre	em	
depender	de	de	permitir	-	-	
desistir	de	de	pertencer	a	-	
dever	-, a	-	precisar	de	-	
discordar	de	em	patrocinar	-	-	
esquecer*	-	de	prolongar	-	-	
esquecer-se	de	de	reclamar	de, sobre	de, por	
gostar	de	de	solicitar	-, a	para	
impedir	-	de	telefonar	para	para	
insistir	em	em, para	tentar	-	-	
intuir	-	-	transferir	-, para	-	

(*) Ela nunca **se esquece do** meu aniversário. Ela nunca **se esquece de** ligar.
Mas: ela nunca **esquece** o meu aniversário. Ela nunca **esquece de** ligar.

Exercícios

Preencha as lacunas com as preposições quando necessário.

1| A: O que você está aprendendo ____ fazer no curso?
   B: Estou aprendendo ____ fazer bolos, mas nunca acerto ____ o ponto.

2| A: Os vendedores acabaram ____ escrever seus relatórios?
   B: Pedi-lhe ____ entregar tudo ainda hoje.

3| A: Ontem transferi ____ o dinheiro da compra ____ a sua conta do Itaú.
   B: Ótimo! Obrigada. No próximo mês, você poderia transferir ____ o Bradesco?

4| A: O chefe insistiu ____ eu aceitar ____ o novo cargo...
   B: Não se preocupe: logo você se acostuma ____ suas novas funções.

5| A: Ontem a secretária se esqueceu ____ acender as luzes da recepção.
B: Tudo bem. Solicitei ____ segurança ____ acender as luzes hoje de manhã.

6| A: A polícia impediu ____ manifestantes ____ ficar em frente ao portão da fábrica.
B: É uma pena eles insistirem ____ uma greve tão sem fundamento.

7| A: Hoje faz um ano que me mudei ____ o Brasil.
B: Parabéns! Você ainda continua ____ gostar daqui ou prefere mudar ____ outro país?

8| A: Vamos almoçar? Estou morrendo ____ fome!
B: Ok. Vamos parar ____ as máquinas e matar a fome.

9| A: Você acredita ____ milagres? A Eduarda lembrou-se ____ meu aniversário!
B: Incrível! Ela nunca lembra ____ aniversário de ninguém!

10| A: Preciso ____ sair um pouco porque preciso ____ dinheiro. Vou ao banco.
B: Sem problema! Pode ir tranquilo. Depois ajudo você ____ acabar a checagem do estoque.

11| A: Você sabe ____ quem pertence esta maleta?
B: Provavelmente ____ cliente que está na sala da chefe agora.

12| A: Telefonei ____ o Procon ____ reclamar de uma empresa. Você acredita que essa empresa me entregou um PC de 4G no lugar de 8G?
B: Isso acontece. Quando o Procon* intervém ____ questão, tudo se resolve mais rápido.

(*) Procon: Fundação de Proteção e Defesa do Consumidor.

XXIII Preposições (2): regência nominal

Especialmente os substantivos abstratos (que indicam uma ação, qualidade ou um estado) exigem preposição.
Exemplo: Sua **tentativa de** subir na empresa rendeu-lhe frutos.

Alguns adjetivos também exigem preposição.
Exemplo: Mesmo depois de demitida, ela sempre foi **fiel à** empresa.

É importante ser *fiel à* empresa.

Substantivo	Antes de substantivo / pronome	Antes de verbo	Adjetivo	Antes de substantivo/ pronome	Antes de verbo
adaptabilidade	a	a	ansioso	por	por, para
aptidão	a, para	para	aproveitável	a, para	para
alegria	por	de	apto	a	a
capacidade	de	de	benevolente	com	para
facilidade	para, em	de, para	cansado	de	de
importância	de	de	capaz	de	de
interesse	por, em	por, em	contente	com, por	por, de
fidelidade	a, com, para com	para	difícil	para	-, de
			eficiente	com	para

72 AS PALAVRAS

mérito	por	para	fácil	para	de, para
necessidade	de	de	fiel	a, para com	para
noção	de	de, para	feliz	por, com	de, em
pedido	de	para	focado	em	em
sorte	em	de	igual	a	a
satisfação	por	de, em	interessado	por, em	em
tentativa	de	de	satisfeito	com	em
tristeza	por	de	triste	com, por	de, em, por

Exercícios

Preencha as lacunas com as preposições.

1| A: Sua adaptabilidade _____ novas situações é impressionante!
B: Obrigada. Sempre tive interesse _____ outras culturas e _____ viver em outros países.

2| A: Tenho a satisfação _____ comunicar a promoção de Maria das Neves ao cargo de gerente geral.
B: Parabéns, Maria! Fico muito feliz _____ você.

3| A: Você tem noção _____ altura que é aqui?
B: Quadragésimo andar? Acho uma altura meio difícil _____ escalar ou _____ fazer bungee jumping...

4| A: Ela tem muita sorte _____ ter um emprego tão bom!
B: Com certeza, ela está apta _____ desenvolver todas as tarefas, senão o chefe dela não estaria tão satisfeito _____ o trabalho que ela faz.

5| A: O pedido _____ demissão do João não pôde ser aceito.
B: Provavelmente seria difícil substituí-lo tão cedo. Ele ficou contente _____ o aumento que recebeu para ficar?

6| A: A fidelidade _____ nossos clientes é essencial para continuarmos a crescer.
B: Com certeza temos necessidade _____ manter a fidelidade deles e também _____ continuar investindo para melhorar sempre.

7| A: Você seria capaz _____ conduzir a reunião de hoje?
B: Acredito que sim. Sinceramente, estava cansado _____ esperar que você me pedisse isso.

8| A: A nova publicitária parece bastante focada _____ novo projeto. Acredito que sua noção _____ mercado será muito útil à empresa.
B: Com certeza. Mas ela precisará de muita ajuda: as novas necessidades _____ nossos clientes exigem muito de nossa criatividade...

9| A: Sei que você tem muita facilidade _____ línguas, mas você realmente acha aproveitável _____ o seu currículo estudar chinês agora?
B: E por que não? Já sei japonês, então chinês não será difícil _____ aprender.

10| A: Ela está ansiosa _____ tirar férias: há anos que não viaja com a família.
B: Bom pra ela! Além disso, a importância _____ um tempo de descanso é indiscutível.

XXIV Preposições (3): AO LADO DE, ATRÁS DE, NA FRENTE DE etc.

- **O *living* / a sala de estar**

A mesa de centro está **no meio d**a sala.
O quadro está **atrás d**o sofá.
O sofá de dois lugares está **na frente d**a janela.
O tapete está **debaixo d**a mesa.
A revista está **em cima d**a mesa.

- **O quarto / o dormitório**

O quadro está **na** parede, **acima da** cama.
A cama está **abaixo do** quadro.
O travesseiro está **em cima d**a cama.
O criado-mudo está **ao lado d**a cama.
O armário está **ao lado d**a cama.

- **A cozinha**

O armário está **à esquerda**.
O fogão está **entre** as gavetas e o armário.
A mesa está **à direita**.
As gavetas estão **embaixo do** tampo.

- **O banheiro**

O box está **no canto do** banheiro.
O vaso está **à direita**.
O espelho está **acima da** pia.
A pia está **à esquerda**.
A toalha está **ao lado d**a pia.

Exercícios

1. Dê os opostos.

   a. A almofada não está debaixo do sofá. Ela está *sobre* o sofá.
   b. A mesa de centro não está atrás do sofá. Ela está _____ do sofá.
   c. A luminária não está embaixo da mesa lateral. Ela está _____.
   d. O quadro não está perto do sofá. Ele está _____.
   e. A janela não está na frente da cama. Ela está _____ da cama.
   f. O quadro não está à esquerda. Ele está _____.
   g. O tapete não está atrás do vaso. Ele está _____ do vaso.

2. Olhe as figuras da página anterior. Diga o que fica...

   a. Na sala, na frente do sofá. *A mesa de centro*
   b. No quarto, atrás da cama.
   c. Na cozinha, embaixo do tampo.
   d. No canto do banheiro.
   e. Na cozinha, à direita.
   f. No quarto, ao lado da cama.
   g. Na sala, em cima da mesa de centro.
   h. Na cozinha, entre as gavetas e o armário.

3. Observe a figura e responda:
   a. Onde estão os pratos?
   b. Onde ficam as cadeiras?
   c. Onde está o lustre?
   d. Onde estão os guardanapos?

xxv Preposições (4): À DIREITA, À ESQUERDA, EM FRENTE etc.

Vire à esquerda.
Dobre à esquerda.
Vire à segunda esquerda.

Vire à direita.
Dobre à direita.
Dobre à terceira direita.

Vá em frente.
Siga em frente.
Siga reto.
Suba / Desça a rua, em frente.

Pare no semáforo.
Vire no farol.
Vire à esquerda no sinal.

Pare no cruzamento.
Vire à esquerda na próxima esquina.
Não pare na faixa de pedestre.

Preposições (4): À DIREITA, À ESQUERDA, EM FRENTE etc.

• **Vocabulário:**
esquerda: left
direita: right
vire / dobre: turn
em frente: straight ahead
suba / desça: go up / go down
siga / vá: go
semáforo / farol / sinal: traffic light
cruzamento: intersection / crossroads
esquina: corner
faixa de pedestre: pedestrian area / zebra crossing

Exercícios

1 Dê o oposto.

a. Para ir ao banco, não vire à direita. Vire *à esquerda* .
b. Para ir ao escritório, não vire à segunda esquerda. Vire à segunda _____.
c. Não pare. Siga _____.
d. Não passe no farol vermelho. _____ no farol vermelho.
e. Para ir para casa, não siga em frente. _____ à esquerda.
f. Para ir ao aeroporto, não vire à primeira direita. Vire à _____ direita.

2 Dê as direções, conforme o exemplo.
Exemplo: *Para ir ao shopping Pátio Paulista, suba / siga em frente pela Alameda Casa Branca, vire à direita na Avenida Paulista. Siga em frente. Cruze a Rua Pamplona, a Alameda Campinas, até chegar à Praça Oswaldo Cruz. Vire à direita na praça. Depois, vire à primeira esquerda e à primeira esquerda novamente. Em seguida, vire à direita. O shopping fica à sua direita.*

78 AS PALAVRAS

a. Como você chega ao escritório vindo da sua casa?

b. Como você chega ao restaurante?

xxvi Adjetivos descritivos e sua posição na frase: ALTO, MAGRO, FASCINANTE etc.

1 O adjetivo vem depois do substantivo para demonstrar contraste:
A mulher **alta** (em oposição a outra mulher, mais baixa)
A casa **amarela** (em oposição a outras casas de outras cores)

2 Antes do substantivo, o adjetivo caracteriza um ser ou uma coisa únicos:

A **maravilhosa** Torre Eiffel.
O **espetacular** Pão de Açúcar.
O **famoso** escritor (o nome dele é evidente).
É uma **fascinante** cidade (posso substituir 'cidade' pelo nome dela).
Os **altos** preços de hoje (são todos altos).

3 Ênfase:

A São Paulo **moderna** (em contraste com outra parte mais antiga da cidade ou de outra época).
A **moderna** São Paulo (descreve somente, sem contraste).

4 Nacionalidades: vêm sempre depois do substantivo.

O governo **português**, os carros **alemães**, etc.

5 Casos especiais:

A criança **pobre** (sem dinheiro) vs a **pobre** criança (digna de pena)
Um país **grande** (tamanho) vs um **grande** país ('great')
Meu amigo **velho** (de idade mais avançada) vs Meu **velho** amigo (de longa data)
O laboratório **antigo** (velho) vs o **antigo** laboratório (anterior, 'former')
Uma empregada **simples** (não sofisticada) vs uma **simples** empregada (mera)
A executiva **alta** (1,80m) vs a **alta** executiva (do alto escalão)
Um carro **novo** (não é velho) vs um **novo** carro (diferente)

Meu *velho* amigo.

Exercícios

Coloque os adjetivos entre parênteses na posição correta. Pode haver mais de uma opção.

1| As ruas deste bairro são elegantes. (velhas)

2| Por que eles suspenderam o trabalho? (noturno)

3| Não usam a biblioteca. (antiga = anterior a outra mais nova)

4| O livro que você pediu está lá na mesa. (chinês)

5| Um artista vem à cidade amanhã. (famoso)

6| O homem foi para a prisão. (pobre)

7| Você viu os espécimes do Jardim Botânico? (raros)

8| Ontem eu tive saudades da cidade onde cresci. (pequena)

9| Os custos desse projeto são altos. (operacionais)

10| Queremos comprar uma dessas máquinas de fazer pão. (maravilhosas)

11| Ele não tem cabelo. (branco)

12| Como é o nome da nossa professora de português? (velha)

13| Salvador é uma cidade. (grande)

14| Ontem fomos visitar o apartamento do Ricardo. (novo)

15| Meu pai é funcionário do governo brasileiro. (alto)

16| Em Paris você pode ver a Torre Eiffel. (bela)

17| No centro de São Paulo fica a Praça da Sé. (antigo)

18| A casa deles não tem água. (quente)

xxvii Adjetivos não descritivos e sua posição na frase: CADA, OUTRO, SEGUINTE etc.

1   Vêm antes do substantivo: cada, outro, muito, tanto, pouco, ambos os.
Cada pessoa, outro tempo, muito problema, tanto calor, pouco dinheiro, ambos os ônibus.

2   Outros vêm antes ou depois, sem modificação do sentido: seguinte, suficiente, próximo, bastante.
A página seguinte, a seguinte página; dinheiro suficiente, suficiente dinheiro; no próximo mês, no mês próximo; bastante confusão, confusão bastante.

3   Outros, quando estão antes do substantivo, não têm sentido descritivo. Depois dele, têm sentido descritivo:

Diferente: as diferentes casas (não as mesmas)
As casas diferentes (em contraste com outras iguais)

Vários: várias perguntas (algumas perguntas)
Perguntas várias (perguntas de diferentes naturezas)

Certo: certas coisas (coisas em particular)
Coisas certas (coisas corretas)

Único: o único carro (só há um carro)
O carro único (é um carro singular)

Mesmo: o mesmo livro (não mudou)
O livro mesmo (o livro em si)

Próprio: o seu próprio *tablet* (o *tablet* dele)
O *tablet* próprio (o *tablet* adequado)

- **Outros casos:**
1. **Números cardinais vêm antes do substantivo para contar, e depois para numerar:** uma página vs página um.
2. **Números ordinais vêm antes:** as primeiras lições, os primeiros dias, a quarta parte.
   Mas: Papa João Paulo II, D. Pedro I.
3. **Algum e nenhum vêm geralmente antes do substantivo:** algum dinheiro, nenhum problema.
   Mas: ele não tem dinheiro algum (frases negativas).
4. **Demais vem depois do substantivo ou adjetivo:** quente demais, grande demais, trabalho demais.
   Mas: As demais casas são caras (as outras casas)
5. **Todo pode vir antes ou depois para significar "inteiro":** todo o livro, o livro todo.
   Mas: todos os anos = todo ano; todos os dias = todo dia. (cada)
6. **Mais e menos vêm antes do substantivo:** mais café, menos trabalho.
   Mas, com outras palavras que indicam quantidade, podem vir antes ou depois: dois cafés mais, mais dois cafés, duas pessoas menos, menos duas pessoas.

Exercícios

Coloque os adjetivos no lugar adequado.

1| (cada) É bom ter coisa no seu devido lugar.

2| (muitas) Tivemos reuniões antes de tomar a decisão.

Adjetivos não descritivos e sua posição na frase: CADA, OUTRO, SEGUINTE etc.   83

3| (pouco) Há tempo antes do início do congresso.

4| (ambos) Precisamos mandar arrumar os carros da família.

5| (seguinte) Encontre esta informação na página.

6| (suficiente) Ela tem competência para encontrar uma solução.

7| (próximo) Viajaremos no ano.

8| (diferente) Prefiro morar em uma casa. (= não com o mesmo estilo)

9| (certa) Estaremos tomando a decisão?

10| (mesma) Depois de tanto tempo, ele parece a pessoa. (não mudou)

11| (próprio) Elas usam o carro para viajar a trabalho. (o carro delas)

12| (três) Abra o livro na página.

13| (nenhum) Não vejo problema de sair mais cedo em véspera de feriado.

14| (demais) Acho que ela fala.

15| (todo) Recebemos bônus mês. (cada)

16| (menos) Aqui há pessoas que na outra sala.

17| (mais / menos) Precisamos de trabalho e conversa.

XXVIII Formação de Palavras (1)

• Por Prefixação

O português tem inúmeros prefixos do latim e do grego. Seguem alguns mais comuns e seus significados:

Prefixo	Significado	Exemplos
AMBI (latim)	duplicidade	ambidestro, ambiguidade, ambivalente.
ANTE (latim)	precedência	antebraço, anteceder, antedatar, anteontem, antessala.
CONTRA (latim)	oposição	contradizer, contraprova, contrapropostas.
DES (latim)	separação, negação	desfazer, desfolhar, desleal, desonesto, desumano.
EX (latim)	para fora; anterior	exterior, expatriado, exportar, expulsar; ex-presidente.
EXTRA (latim)	posição exterior; excesso	extramuros, extraordinário; extraforte.
IN (latim)	dentro; privação	importação, interior, induzir; indecente, inútil.
INTER (latim)	no meio	internacional, intervir, interplanetário, intermunicipal.
INTRA (latim)	dentro	intranet, intravenoso, intramuscular.
RE (latim)	para trás; repetir	regredir, refluir; reaver, reconstruir, refazer.
RETRO (latim)	mais para trás	retroagir, retrocesso, retrógrado, retrospectiva.
SEMI (latim)	metade	semicírculo, semimorto, semideus.
SUPER (latim)	em cima	supercílio, supersensível, superprodução.

SUB (latim)	de baixo para cima; inferior	subir, subjugar, submeter; subchefe, suboficial.
VICE (latim)	em lugar de	vice-presidente, vice-cônsul.
A, NA (grego)	negação	acéfalo, amoral, anormal.
AMPHÍ (grego)	de um e de outro lado	anfiteatro, anfíbio.
ANTÍ (grego)	oposição	antagonista, antipatia, antídoto.
HEMI (grego)	meio	hemiciclo, hemisfério.
HYPER (grego)	sobre, além de	hipertrofia, hipermercado, hipercrítico.
HYPÓ (grego)	embaixo de	hipodérmico, hipocrisia, hipotermia.
PRÓ (grego)	para a frente	problema, prognóstico, programa, prólogo.
SYN (grego)	reunião	sincronia, sinergia, simpatia, simetria.

Hipermercado ou supermercado?

Exercícios

1 Dê os opostos das palavras usando prefixos.

a. produtivo — *improdutivo*
b. possível
c. hipertermia
d. dizer
e. interior
f. simpatia
g. nacional
h. útil

2 Ligue as palavras da coluna da direita com suas definições:

1| ambidestro
2| ambíguo
3| contradição
4| desfazer
5| desonesto
6| expatriado
7| extramuros
8| intermunicipal
9| retrógrado
10| semicírculo
11| submeter
12| ambivalente
13| antipatia

a. Tem duas interpretações possíveis.
b. Incoerência entre uma afirmação anterior e a atual.
c. Pode usar as duas mãos para escrever.
d. Pessoa não honesta.
e. Pessoa que vive fora de seu país.
f. Fora dos limites de um terreno ou de uma cidade.
g. Entre duas cidades ou municípios.
h. Oposto de "fazer".
i. Metade de um círculo.
j. Apresentar para exame ou apreciação.
k. Oposto de "simpatia"
l. Que se mostra contrário a mudanças.
m. Que aparenta sentimentos opostos.

3 Complete as frases abaixo com as palavras do quadro.

> submeter   semimorto   refazer   ambiguidades
> contradisse   contraproposta   anfíbio   sinergia

a. O rapaz foi encontrado _____ na rua depois do acidente.
b. Depois do divórcio, ela só pensa em _____ a vida e seguir em frente.
c. O sapo é um ótimo exemplo de _____.

d. Precisamos entrar em acordo sobre os pontos principais do projeto para agirmos com _____.
e. A correspondência comercial precisa ser direta e livre de _____.
f. A testemunha se _____ em diversos momentos do seu depoimento.
g. O cliente nos fez uma _____ bastante interessante para ambos os lados.
h. Precisamos _____ esta proposta à diretoria antes de enviá-la ao cliente.

XXIX Formação de palavras (2)

• **Por sufixação**

Principais sufixos:

Latinos		
	ADA:	boiada, colherada, facada, laranjada, meninada, noitada.
	AGEM:	viagem, aprendizagem, estiagem, folhagem, malandragem.
	AL:	genial, pessoal, bananal, pantanal, rosal.
	ANO, ÃO:	americano, mundano, republicano; cristão, vilão, casarão.
	ATO, ADO:	sindicato; apostolado, bacharelado, consulado.
	DADE:	bondade, crueldade, simplicidade, dignidade.
	DOR, TOR, SOR:	acusador, comprador; instrutor, tradutor; confessor.
	EAR:	barbear, guerrear, golpear, rodear.
	EZ, EZA:	estupidez, sensatez, surdez; beleza, certeza, moleza.
	OSO:	cheiroso, charmoso, gostoso, montanhoso, teimoso.
	UDO:	beiçudo, bicudo, cabeçudo, narigudo, peludo, sisudo.

Gregos	IA:	astronomia, filosofia, geometria, energia, profecia.
	ISMO:	catolicismo, comunismo, jornalismo, modismo.
	ISTA:	catequista, evangelista, modernista, nortista, socialista.
	ITA:	jesuíta, israelita, cosmopolita.
	ITE:	bronquite, dinamite, rinite, nefrite.
	OSE:	esclerose, osteoporose, tuberculose, osmose.
	TÉRIO:	cemitério, necrotério, adultério.
Ibéricos	EGO:	morcego, aconchego.
	EJO:	lugarejo, azulejo.
	ITO(A):	cabrito, Anita.
	ORRA:	cabeçorra.
Italiano	ESCO:	dantesco, gigantesco, parentesco, animalesco.
Germânicos	ARDO:	felizardo, Bernardo, Leonardo, Ricardo.
	ENGO:	mulherengo, perrengue (variação).
Tupi	RANA:	muquirana, taturana.
Outros	AMA:	dinheirama.
	ANCO, A:	barranco, pelanca, potranca.
	EBRE:	casebre.
	ECO, A:	jornaleco, livreco, padreco, soneca.
	OTE:	filhote, serrote, velhote.

Exercícios

1 Quem:

a. Pula de paraquedas é
b. Dirige um ônibus é
c. Escreve artigos para jornais é
d. Estaciona/manobra o seu carro é
e. Consome muito é
f. Articula comentários na mídia é
g. Vende flores é
h. Analisa dados é
i. É radical ou extremo é

2 Complete:

a. A ciência que estuda a vida é *a biologia*
b. A ciência que estuda os astros é
c. O profeta sempre diz uma
d. Quem vem de Israel é
e. Uma cabeça grande é uma   ou um

3 Dê os verbos dos seguintes substantivos:

a. O amparo
b. O arranjo
c. O bloqueio
d. O recuo

e. A conserva
f. A desova
g. A pesca
h. O grito

4 A partir dos verbos, dê os substantivos e os adjetivos:

a. enforcar   *a forca / enforcado*
b. entristecer
c. engordar
   (emagrecer)

g. amanhecer
h. engavetar
i. esburacar
j. emburrar

d. acorrentar
e. ajoelhar
f. alistar

k. enlouquecer
l. esvaziar
m. esclarecer

5 Família de palavras: dê os adjetivos.

a. gosto — *gostoso*
b. montanha
c. barriga
d. cabeça
e. estupidez
f. sensatez
g. crueldade

h. maldade
i. acusação
j. América
k. gênio
l. pessoa
m. sensação
n. bondade

OS SONS E A GRAFIA

1 Fonética (1): o alfabeto e os sons das letras

• O Alfabeto

A B C D E F G H I J K L M N O P Q R S T U V W X Y Z

• Os sons das letras

1 Vogais orais abertas e fechadas:

a – pai, sala
e – você, ele, aquele, elementar

é – ela, aquela, café, boné
i – Itália, Itajaí, fila
ô – vovô, novo, carro
ó – vovó, novos, óculos
u – universidade, útil, Itaú

2 Vogais nasais:

ã – grande, bastante, irmã
e – também, além, entendo

i – ruim, assim, importante, inteligente
õ – ontem, com, contente
u – algum, nenhum, presunto

3 Ditongos (duas vogais) orais abertas e fechadas:

au – Austrália, saudade, aumenta
ei – sei, amei, lei, nadei
éi – assembleia, plateia, anéis
eu – prometeu, valeu, eu, seu
éu – mausoléu, céu

iu – partiu, mentiu, abriu
oi – boicote, oi, foi
ói – corrói, herói, destói
ou – falou, outro
ui – polui, inclui, substitui

4 Ditongos nasais

ãe – mães, alemães, pães, capitães
ão – coração, reunião, mão

õe – põe, cartões, reuniões
ui – muito

5 S / SS / Z

S – saber, sinônimo, solução.
Mas: coisa, casa, usar /z/

SS – pássaro, aterrissar, interessar
Z – zebra, zoológico

6 R / RR / L

R – rosto, recado, razão
R – broto, criativo, proporção

R – caro, experiência, poroso
L – livro, cloro, plano, Vladimir

7 CH / NH / LH

CH – chocolate, chefia, chá
NH – rainha, ponho, estranheza
LH – olhos, julho, debulha

8 C / QUE / QUI

C – carro, coro, acurado
QUE – queijo, quero, aquela.
Mas: consequência
QUI – quilo, aquilo.
Mas: tranquilo

Obs.: ce/ci têm som de se/si – você, cidade

9 QUA / QUO – quadro, aquoso

10 G / GUE / GUI

G – gato, gosto, guru
GUE – guerra, jogue.
Mas: aguentar
GUI – guitarra, guiar.
Mas: distinguir

Obs.: ge/gi têm som de je/ji – gente, agitado

11 GUA / GUO: água, águo

Exercícios

1 Soletre seu nome.
   Exemplo: *Marcelo Silva – M-A-R-C-E-L-O S-I-L-V-A*

2 Soletre:

a. O nome do seu hotel.
b. O nome da sua empresa.
c. O nome da sua rua.
d. O nome da sua cidade.
e. O nome do seu país.

3. Qual seu endereço de email?
@ = arroba
. = ponto
com = /kom/
_ = sublinhado
- = hífen
/ = barra

4. Qual o endereço de email de seu melhor amigo?

5. Qual o site da sua empresa?

6. Leia e soletre as palavras:

alemão	São Petersburgo	tranquilo	engenheiro
Nova York	Ibirapuera	reunião	acreditar
Alemanha	correio	Barra da Tijuca	livro
Brasil	hoje	gente	bravo
São Paulo*	veja	gerente	Walter
causa	coisa	gigante	fábrica
incrível	agradável	reclamar	blasfemar
corações	pães	cidadãos	irmãos
jogo	hoje	jarra	júri
chave	chuva	xadrez	exame

(*) ~ = til (São = S-A-O-til)

II Fonética (2): principais dificuldades de pronúncia

1 /h/ /r/ /l/

Leia as palavras:

/h/	/r/	/l/	Trava-línguas
carro	caro	calo	O rato roeu a roupa do rei de Roma. E a rata roeu a rolha da garrafa da rainha.
barraco	barato	abalo	
carreta	careta	valeta	
rubro	urubu	lupa	
reta	careca	muleta	Eu cantarolaria. Ele cantarolaria. Nós cantarolaríamos. Eles cantarolariam.
horroroso	caloroso	lodoso	
Roma	aroma	calor	
rosa	rigorosa	calosa	
rio	delírio	alívio	Iara amarra a arara rara, a rara arara de Araraquara.
remo	careta	deleta	
carroça	carola	lorota	
arremesso	endereço	elemento	Uma aranha dentro da jarra. Nem a jarra arranha a aranha. Nem a aranha arranha a jarra.
ritmo	marítimo	paralítico	
			O careca careta carrega a carranca e escorrega no córrego Carrarazal.

Leia:
A porta da Moura torta corta a parte perto do batente torto do porto carmesim.
A cartada certa e que importa cerca o farto arsenal.
O Rio Parnaíba não é perto de São Paulo.

2 /p/ /b/

Leia as palavras:

/p/	/b/	Trava-línguas
pão	bom	O peito do pé de Pedro é preto. Se Pedro é
ipê	bêbado	preto, o pé de Pedro também é preto.
palavra	balada	
pororoca	boboca	Você sabia que o sabiá sabia assobiar?
pipoca	bisteca	
proporção	botão	Você sabia que a sábia mãe do sabiá não
opção	observação	sabia que o sabiá sabia assobiar?
pedido	abrasivo	
padaria	abusivo	

3 /b/ /v/

Leia as palavras:

/b/	/v/	Trava-línguas
cobro	livro	Essa trova é uma trava pra te entravar.
abre	ave	Entravar com uma trova é uma trava
abacaxi	vaca	de lascar!
abóbora	avó	
bêbado	avô	Com a vassoura varria ao lado dos
borracharia	vidraçaria	vasos do viveiro da avó. A avó uma ave
biblioteca	viveiro	via e ouvia seu canto no viveiro em
biblioteconomia	avaria	Vacaria.
bolsa	ova	
bizarro	vital	A víbora viboraleia viboraleando a
		viboralear. Viboraleia a avara borboleta
		ambivalente a voar.

4 /z/ /s/

/z/	/s/	Trava-línguas
zebra	seta	Zulu zomba da zabumba da Zezé na casa do Cazuza.
zureta	sussurro	
casa	caça	
mesa	meça	Reza o rosário ao ausente que lhe trouxe um presente.
sobremesa	quermesse	
camisa	disse	
juízes	crendice	Luíza lustrava o lustre liso e poroso. O lustre liso e poroso luzia.
raízes	excelência	
caso	experiência	
raso	poço	O zangão zangado ziguezagueava ao acaso do azar.
reza	peça	
prezo	preço	
aspereza	apareça	A zebra reza em casa. Em casa reza a zebra. A zebra é listrada. Listrada é a zebra.

5 /ão/ /õe/ /ãe/

/ão/	/õe/	/ãe/	Trava-línguas
pão	põe	pães	Os pães das estações são tão bons. Bons são os pães das estações.
anão	anões	mãe	
portão	portões	alemães	
coração	corações	pãezinhos	
reunião	reuniões	cães	O portão da casa do anão não é enorme não. Enormes são o coração e a imaginação do anão.
ação	ações	cãezinhos	
promoção	promoções	capitães	
mão	porções	andaime	
mãos	camarões		A mãe dos capitães alemães compram pães na padaria do Sebastião.

6 /ãw/

Leia os verbos:
Eles che**g**a**r**am. Eles che**g**a**rão**.
Eles afun**d**a**r**am. Eles afun**d**a**rão**.
Eles co**m**e**r**am. Eles co**m**e**rão**.
Eles ven**d**e**r**am. Eles ven**d**e**rão**.
Eles escre**v**e**r**am. Eles escre**v**e**rão**.
Eles a**b**ri**r**am. Eles a**b**ri**rão**.
Eles par**t**i**r**am. Eles par**t**i**rão**.
Eles inves**t**i**r**am. Eles inves**t**i**rão**.
Eles reu**n**i**r**am. Eles reu**n**i**rão**.

Leia: O vento perguntou ao tempo qual é o tempo que o tempo tem. O tempo respondeu ao vento que não tem tempo pra dizer ao vento que o tempo do tempo é o tempo que o tempo tem.

7 /dj/ /tj/

Leia as palavras:

/dj/	/tj/	Trava-línguas
dia	tia	Três tigres tristes para três pratos de trigo.
tarde	noite	Três pratos de trigo para três tigres tristes.
diário	tiara	
odioso	tinhoso	A tia da tua tia tinha a dádiva de atiçar.
odiar	atiçar	Atiçava o tio do teu tio e atirava titicas no
pode	arte	mar.
sacode	sorte	
direito	título	Não te divido com nenhum indivíduo de
dinheiro	tintureiro	noite nem de dia.
divindade	atividade	
		Tiago ticou o tíquete da partida de críquete.

8 /aw/ /ew/ /iw/ /ow/ /uw/

hotel	alto	O consultor alto e altruísta toca contralto na orquestra do sul.
natal	solto	
anel	filtro	
silvícola	cultura	O Brasil fez gol na festa total contra o time atual de Altamir.
sol	celta	
sul	salto	
sulco	lençol	O sol tropical fez mal à culta e esbelta Anabel mesmo embaixo do guarda-sol do Juvenal. Ela era a tal de salto alto no litoral da Ilha do Mel.

9 /f/ /v/

Leia as palavras:

/f/	/v/	Trava-línguas
faca	vaca	Um ninho de mafagafos tinha sete mafagafinhos. Quem desmafagar esses mafagafinhos bom desmafagador será.
foca	cavouca	
fofoca	vovó	
fofinho	vovozinha	
afago	vaso	Essa trava é uma trova pra te entravar. Se te entrava a trova travada, trava assim a boca cavada.
fanho	vazio	
cofre	avaro	
fritura	avicultura	
fofura	vovô	A vida da vaca do Seu Valter não vale patavina não.
fronha	cova	
frete	vedete	
		Vossa avó e vosso avô vão se lavar no lavatório da livraria vazia.

10 /sh/ /j/

/sh/	/j/	Trava-línguas
caixa	caju	Juca joga o jogo agitado a gingar. Julga mal e ginga com a gente jocosa da jujuba.
faixa	cajá	
coxa	jamanta	
fechar	gigante	A geleia de caju se agita na jarra gigante onde vegeta.
chegar	gente	
chuva	jovem	
xereta	jovial	A xereta faxineira joga xadrez com o chato choroso xenófogo.
xadrez	júri	
xale	jujuba	
chá	ajeitar	Eu jogaria, ele jogaria, nós jogaríamos, eles jogariam. Que gente jogadora essa!
cheiro	cajuzeiro	

11 /ê/ /é/ /ô/ /ó/

/ê/	/é/	/ô/	/ó/
você	até	avô	avó
cadê	boné	ovo	ovos
ele	ela	novo	novos
aquele	aquela	povo	povos
coelho	poético	orelha	óculos
joelho	épico	caolho	metrópole
Helena	café	medo	dó

Meu avô e minha avó moram em Vitória do Espírito Santo.

III Palavras com a letra "X"

A letra X tem quatro sons diferentes em Português:

/SH/
1 No início da palavra:
xadrez
xale
xícara
xereta

2 Depois de um ditongo:
caixa
queixo
ameixa
queixa
peixe
deixar
abaixar

3 Depois de –EN:
enxergar
enxame
enxaguar
enxugar
enxerto

Outras palavras:
mexer
roxo
faxineira
Alexandra
México

/S/
1 Sempre antes de outra consoante:
explicar
expedição
explosão
experimentar
expressão
contexto
pretexto
expediente
extraordinário

2 Outras palavras:
aproximar
próximo
trouxe
auxílio
auxiliar

O xadrez é excelente para jogar.

/Z/
Entre 'e' inicial e outra vogal:
exame
examinar
êxito
êxodo
exonerar
exagero
executar
executivo
exato
exatidão
existir

/KS/
No fim da palavra:
tórax
fax
clímax

Outras palavras:
táxi
fluxo
fixar
anexar
ortodoxo
oxigênio
flexível

Exercício

Leia as frases abaixo e defina o som de cada "X" em sh / s / z / ks nos parênteses:

1| Precisamos de uma cópia xerox do documento anexo. *sh* ☐ ☐

2| O exame do texto final demonstrou que ele está a contento. ☐ ☐

3| A empresa precisa de exímios funcionários com experiência comprovada. ☐ ☐

4| O trabalho esta semana está sendo extremamente extenuante por causa da proposta em que estamos trabalhando – precisamos nos exercitar depois do expediente para nos mexer um pouco. ☐ ☐ ☐ ☐

5| Há um ponto de táxi logo ali, ao lado da lixeira do prédio. ☐ ☐

Palavras com a letra "X"   103

6| As exportações passam por um momento difícil no complexo contexto econômico mundial.

7| O caixa eletrônico não permite saques que excedam de R$500,00 por dia. Para quantias maiores, dirija-se ao caixa do banco.

8| A quantia excedente deve ser enviada à conta no exterior.

9| Exatamente como previmos, o encaixe da peça ficou perfeito.

10| É melhor experimentar as roupas antes de comprá-las.

11| Por causa do encarecimento nos transportes, produtos alimentícios, como a coxa de frango e a ameixa, excedem as expectativas de inflação para este semestre.

12| O desempenho deste vendedor nas negociações foi excelente. Ele vendeu todos os itens, sem exceção.

13| As expectativas em relação ao novo presidente são bastante altas: a exemplo de seu antecessor, espera-se que ele faça um trabalho excepcional.

14| Faz-se necessário um exame de raio X do tórax para determinarmos as causas dos sintomas da paciente.

15| Por causa do calor, um enxame de mosquitos invadiu o anexo do prédio principal.

16| Nos próximos meses, haverá muitas exonerações por conta da contenção de despesas do governo.

17| Tenho de fazer o máximo para vencer o campeonato de xadrez na próxima semana.

18| Penduraram uma faixa de propaganda eleitoral na fachada do prédio.

19| Nos dias de hoje, a flexibilidade é essencial.

20| A faxineira xereta examinou e remexeu todas as gavetas do escritório.

IV Acentuação Gráfica (1): separação de sílabas

Regra Geral: a combinação de letras para separar sílabas segue a combinação consoante + vogal. Exemplos: ba-na-na; ca-sa-co; co-le-ga.

Sempre se separam
RR, SS, AA, OO, EE, II: car-ro; os-sos; ca-a-tin-ga; vo-o; ve-em; se-ri-ís-si-mo.
CC, CÇ: sec-ção; sec-cio-nar

Os sufixos: i-ne-ren-te; i-no-por-tu-no; de-sa-ti-va-do. MAS: im-pos-sí-vel

HIATOS: u-ru-guai-o; ba-ú etc.

Nunca se separam
NH, LH, CH: di-nhei-ro; o-lhos; chu-va.

CR, PR, VR, TR, CL, PL, TL, QU: cri-an-ça; pri-va-do; li-vro; tro-ca; re-cla-me; im-plan-te; a-tle-ta; ques-tão

PS e PN iniciais: psi-co-lo-gia; pneu-mo-ni-a.

DITONGOS: fa-lou; mo-rei; quei-xa; coi-sa; au-to-mó-vel; co-ra-ção etc.

R, L, X, S, M, N e P após vogal e/ou antes de consoante: can-tar; ho-tel; Xe-rox; es-per-to; am-bu-lân-cia; op-ção

Exercícios

Separe as sílabas da palavras abaixo.

1	companhia		17	papel	
2	indústria		18	papéis	
3	importante		19	itens	
4	psicológico		20	entrega	
5	exportação		21	fornecedor	
6	secretária		22	cliente	
7	presidente		23	estudante	
8	diretor		24	competência	
9	gerente		25	operação	
10	analista		26	encomenda	
11	recepcionista		27	vendas	
12	faxineiro		28	mercado	
13	vendedor		29	pneumático	
14	engenheiro		30	reunião	
15	impossível		31	estranho	
16	conquista		32	logística	

v Acentuação Gráfica (2): regras

Sílaba Tônica – Regra Geral: A língua portuguesa é, essencialmente, **paroxítona**. Ou seja, a penúltima sílaba tende a ser a mais forte.

Exemplos: tra-**ba**-lho; im-pre-**vis**-to; es-**tu**-do; **ca**-sa; etc. A acentuação gráfica ocorre quando há exceções a essa regra geral.

Por outro lado, palavras terminadas em L, R, X, N, ÃO, Ã, EI, UM são **oxítonas**, ou seja, a última sílaba é a mais forte: pa-**pel**; con-**tar**; Xe-**rox**; ne-**on**; reu-ni-**ão**; tra-ba-**lhei**; al-**gum**.
Mas: papéis, anéis, hotéis.

• Regras de Acentuação

1 Todas as palavras **proparoxítonas** são acentuadas. São palavras que têm a antepenúltima sílaba mais forte: ô-ni-bus; ím-pe-to; di-ó-xi-do; âm-bi-to.

2 As **paroxítonas** são acentuadas quando terminadas em L, R, X, N, ÃO, Ã, EI, UM: au-to-mó-vel; ím-par; tó-rax; e-lé-tron; ór-gão; í-mã; pô-nei; ál-bum.

3 As **oxítonas** são acentuadas quando terminam em A, O, E, EM, ENS. Os hiatos também são acentudados: so-fá; com-plô; ca-fé; tam-bém; pa-ra-béns; ba-ú; ca-í.

4 Acentos diferenciais:
a. o verbo PÔR tem acento para diferençar da preposição POR:
   Ela vai pôr a carta no correio por mim.
b. PÔDE no Pretérito para diferençar de PODE, no presente:
   Ontem ele não pôde vir, mas hoje ele pode.
c. MAS (conjunção) de MÁS (adjetivo)
   Elas não são más pessoas, mas também não são boas.
d. TÊM e VÊM para diferençar do singular TEM e VEM:
   Ela nunca tem tempo, mas eles têm.
   A chefe não vem hoje, mas os funcionários vêm.

Obs.: o til (~) sinaliza somente a nasalização de uma sílaba. Se não há outro acento na palavra, a sílaba com o til será a mais forte.

Exemplos: mão, irmão, reunião, pães, campeões, portões, órgão etc.

Exercícios

1. Acentue as palavras quando necessário.

   1) democracia
   2) paralisia
   3) patria
   4) Xerox
   5) duplex
   6) torax
   7) climax
   8) marrom
   9) neon
   10) tambem
   11) porem
   12) parem
   13) falem
   14) roma (a fruta)
   15) orgao
   16) irmao
   17) irma
   18) ima
   19) rubrica
   20) parabens
   21) alem
   22) ruido
   23) fui
   24) papel
   25) papeis
   26) dobravel
   27) dobraveis
   28) altar
   29) falar
   30) lider
   31) caviar
   32) conteudo

2. Frases:

   a. Nao de o presente de Maria agora.

   b. Nao da para falar da gerente.

   c. Ele vem, mas elas nao vem.

   d. Ele tem tempo, por isso sempre vem.

   e. Eles tem dinheiro, por isso veem opera todo fim de semana.

   f. Elas nao sao mas, mas vivem falando mal dos outros.

g. Parem no semaforo para nao levarem uma multa.

h. Ontem o lider do congresso nao pode vir, mas hoje ele pode.

i. Ela quer por as coisas em ordem por Renato.

j. Nao de atençao a pessoas de ma intenção.

k. O chefe nao para de ligar para mim.

l. Tenho uma conta no Itau de Itu.

m. No fim de semana vamos a Parati e depois, a Tatui.

n. Eu destrui todos os documentos na picotadora.

A CONJUGAÇÃO VERBAL

Presente do Indicativo: SER

eu	sou	do Brasil.
você	é	estrangeiro.
ele	é	meu amigo.
ela	é	minha chefe.
nós	somos	professores.
vocês	são	diretores.
eles	são	casados.
elas	são	solteiras.

Uso: com estado civil, nacionalidade, origem, profissão, religião etc.

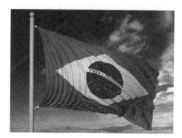

Esta bandeira é do Brasil.

• **Eu sou... você/ele/ela é...**

Profissão		Nacionalidade		Estado Civil	
Masculino	**Feminino**	**Masculino**	**Feminino**	**Masculino**	**Feminino**
médico	médica	brasileiro	brasileira	casado	casada
dentista	dentista	argentino	argentina	solteiro	solteira
recepcionista	recepcionista	americano	americana	divorciado	divorciada
analista	analista	japonês	japonesa	viúvo	viúva
professor	professora	francês	francesa		
diretor	diretora	holandês	holandesa		
cantor	cantora	espanhol	espanhola		
ator	atriz	alemão	alemã		
faxineiro	faxineira	canadense	canadense		
porteiro	porteira	israelense	israelense		
policial	policial	português	portuguesa		

• **Nós somos, vocês/eles/elas são...**

Profissão		Nacionalidade		Estado Civil	
Masculino	**Feminino**	**Masculino**	**Feminino**	**Masculino**	**Feminino**
médicos	médicas	brasileiros	brasileiras	casados	casadas
dentistas	dentistas	argentinos	argentinas	solteiros	solteiras
recepcionistas	recepcionistas	americanos	americanas	divorciados	divorciadas
analistas	analistas	japoneses	japonesas	viúvos	viúvas
professores	professoras	franceses	francesas		
diretores	diretoras	holandeses	holandesas		
cantores	cantoras	espanhóis	espanholas		
atores	atrizes	alemães	alemãs		
faxineiros	faxineiras	canadenses	canadenses		
porteiros	porteiras	israelenses	israelenses		
policiais	policiais	portugueses	portuguesas		

Origem: eu sou do Brasil; príncipe William é da Inglaterra; você é da Alemanha; eles são da Espanha etc.

Exercícios

1 Complete com SER:

a. Elas _____ casadas e _____ brasileiras.
b. João _____ meu irmão.
c. Ela _____ a nova diretora.
d. Maria e Joana _____ novas na empresa.
e. Nós _____ do Brasil. E você? Você _____ de onde?
f. As flores _____ para você.
g. O trabalho _____ para você fazer.
h. Eu _____ de São Paulo. Meus pais _____ do sul do Brasil.
i. O chefe _____ solteiro.
j. Nós _____ católicos, mas nossos amigos _____ protestantes.
k. A moça _____ alta e bonita.

A CONJUGAÇÃO VERBAL

l. Este programa de entrevistas _____ muito interessante.
m. Elas _____ as novas recepcionistas.
n. Este _____ o showroom da empresa.
o. O Brasil _____ na América do Sul.

2 Pergunte-me se...

a. Eu sou brasileiro.
   Você é brasileiro?
b. Ela é a diretora de vendas.
c. Nós somos brasileiros.
d. O analista é alemão.
e. Eles são casados.
f. Nós somos solteiros.
g. Eu sou engenheira.
h. Ela é da Argentina.

3 Apresente-se:
Eu sou Maria, sou brasileira, sou casada, sou engenheira.

11 Presente do Indicativo: ESTAR

eu	estou	no Brasil a trabalho.
você	está	no aeroporto.
ele	está	na companhia.
ela	está	no escritório.
nós	estamos	com gripe.
vocês	estão	com problemas.
eles	estão	com dor de cabeça.
elas	estão	com dor nas costas.

O bebê *está* com sono.

Uso: com estados ou localizações temporárias.

Exercícios

Conjugue ESTAR.

1| Os vendedores _____ na sala de reuniões.
2| A copeira não _____ na companhia hoje.
3| Os documentos _____ na gaveta.
4| Eu _____ com muita dor de cabeça hoje.
5| Ela _____ com dor nas costas.
6| O chefe _____ ao telefone no momento.
7| Nós _____ no Brasil a trabalho.
8| Meus amigos _____ no bar.
9| Ela _____ muito bonita hoje.
10| Minha família _____ em Londres.

11| Meus olhos _____ vermelhos.
12| Meu blazer _____ no cabide.
13| O laptop _____ em minha casa.
14| Nós _____ muito bem, obrigado.
15| Onde você _____ ?
16| Você _____ bem? E sua família _____ bem também?
17| Os clientes _____ na recepção.
18| O dinheiro _____ na conta do banco.
19| Os papéis _____ sobre a mesa.
20| Todos _____ nervosos hoje.

III SER vs. ESTAR

• **Conjugação**

Pronomes	SER	ESTAR
eu	sou	estou
você /ele / ela	é	está
nós	somos	estamos
vocês / eles /elas	são	estão

• **SER:**

Nacionalidade/Origem:	Eu sou brasileira. Eles são japoneses. Nós somos cariocas.
Profissão / ocupação:	Ele é motorista. Nós somos estudantes. Elas são diretoras.
Religião:	Nós somos católicos. Elas são budistas.
Características:	João é alto e magro. Eles são simpáticos. O Rio de Janeiro é quente.
Localização:	A escola é na Avenida Paulista. A escola fica na Avenida Paulista.
Frases impessoais:	É possível começar a aula mais cedo. É provável que chova hoje.

Tempo cronológico:	Hoje é domingo. Amanhã é feriado. Agora é outono.
Orientação política:	Ele é de direita. Nós somos socialistas.
Ideia de posse:	Este computador é meu.

- **ESTAR:**

Localização provisória:	Os alunos estão na sala. O copo está sobre a mesa. Estamos aqui.
Característica resultante de uma ação:	Ela está gorda (porque ela comeu muito, não praticou exercícios). Estou cansada hoje (porque trabalhei muito). O café está muito doce (porque usou-se muito açúcar).
Estado provisório:	Eu estou com gripe / estou gripada. Estamos com dor de garganta. Ela está bonita hoje. Está muito quente hoje.

Exercícios

1 Preencha os espaços com SER ou ESTAR:

a. Ele ____ americano.
b. Eu ____ brasileira.
c. Hoje ____ muito quente.
d. Eles ____ na sala de reuniões.
e. O copo ____ sobre a mesa.
f. Café ____ muito bom.
g. Elas ____ as novas engenheiras.
h. Nós ____ aqui a trabalho.
i. Hoje nós ____ no Rio.
m. Todos ____ felizes aqui.
n. O cliente ____ na recepção.
o. Esta pasta ____ do diretor.
p. São Paulo ____ no Brasil.
q. Paris ____ na França.
r. Eles ____ do Japão.
s. Eles ____ no Japão agora.
t. Os arquivos ____ no armário.
u. As chaves ____ na porta.
v. O dia ____ quente hoje.

A CONJUGAÇÃO VERBAL

j. Elas ____ muito competentes.
k. Meu vizinho ____ muçulmano.
l. O senador ____ de esquerda.
w. No verão, os dias ____ quentes.
x. O Alasca ____ muito frio no inverno.

2 Faça o mesmo:

a. O tempo ____ quente hoje. ____ inverno, mas não ____ frio. Os invernos geralmente ____ frios e secos em São Paulo, mas este ano ____ mais quente do que o normal.
b. Carla ____ diretora de uma empresa de serviços. Ela ____ em São Paulo a trabalho junto com sua família. Por causa do tempo seco, a filha de Carla ____ sempre com problemas respiratórios. Ela ____ estudante e ____ na quinta série do ensino fundamental. O colégio dela ____ perto do trabalho de Carla.
c. Roberto ____ o marido de Carla. Ele ____ gerente em um grande banco e ____ de férias por duas semanas. Por isso, ele ____ cuidando do filho mais novo do casal, Paulo.
d. Paulo ainda ____ muito pequeno: tem apenas três anos, e ele ____ com problemas respiratórios também. No momento, ele e Roberto ____ no pronto atendimento de um hospital por causa desse problema.
e. Carla ____ muito preocupada com os filhos, mas, como hoje ____ dia de pagamento dos funcionários, ela ____ muito ocupada e não pode ficar com eles.
f. Neste tempo muito seco, ____ importante beber muito líquido e usar roupas leves. A filha de Carla ____ um pouco acima do peso, por isso ela sofre mais com o calor. O filho de Carla ____ ainda mais vulnerável porque ainda ____ muito pequeno.

iv Presente Contínuo: ESTOU FAZENDO

Formação: verbo ESTAR conjugado + gerúndio do verbo principal.

	ESTAR	-NDO
eu	estou	trabalhando agora.
você / ele / ela	está	escrevendo neste momento.
nós	estamos	discutindo com o chefe.
vocês / eles / elas	estão	pondo a mesa para o almoço.

Marcadores temporais: agora, neste momento, no momento, hoje, esses dias etc.

Ele está correndo no parque hoje.

Exercícios

Gerúndio: -NDO

1 Pratique o gerúndio dos seguintes verbos:

a. falar — *falando*
b. conversar
c. morar
d. trabalhar
e. escutar
i. esquecer
j. prometer
k. convencer
l. assistir
m. abrir

118   A CONJUGAÇÃO VERBAL

f.	escrever	n.	discutir
g.	entender	o.	por
h.	fazer	p.	propor

2 Siga o modelo:
Ela está dormindo? (trabalhar) – *Não, ela está trabalhando.*

a. Eles estão terminando o relatório? (começar)

b. Os vendedores estão trabalhando na proposta? (entregar a proposta)

c. A diretora está participando da reunião? (falar ao telefone)

d. Você está viajando em São Paulo? (trabalhar em São Paulo)

e. As gerentes de vendas estão atendendo os clientes? (prospectar o mercado)

f. Ela está deixando a empresa? (receber uma promoção)

g. Seus amigos estão morando no Rio? (morar em Madri)

3 Transforme as frases:
Eu trabalho no projeto. *Agora eu estou trabalhando no projeto.*

a. Nós gostamos de morar aqui.   *Agora...*
b. Elas estudam muito para o vestibular.
c. Os funcionários saem às 17h.
d. Eu escrevo emails para os clientes.
e. Ela providencia o material de escritório.
f. O chefe estuda português.
g. Nós escutamos as notícias.

Presente Contínuo: ESTOU FAZENDO 119

4 O que eles estão fazendo?

a. O cachorro está dormindo?
– *Não, ele está correndo.*

b. O bebê está sorrindo?

c. Eles estão comendo?

d. Ela está jogando tênis?

e. A moça está falando ao telefone?

f. E você? Está trabalhando?

v Presente do Indicativo dos Verbos Regulares (1)

Marcadores temporais: todo dia, sempre, todo ano, etc.

• **-AR:**

Pronomes	-AR: morar
eu	mor**o**
você/ele/ela	mor**a**
nós	mor**amos**
vocês / eles / elas	mor**am**

Eu *moro* em uma grande cidade.

Exercícios

1. Conjugue os verbos abaixo como no exemplo:
   FALAR – *eu falo, você fala, nós falamos, vocês falam.*

acordar	levantar	tomar	colocar	pegar
trabalhar	conversar	almoçar	jantar	escutar

2. Conjugue os verbos dos parênteses:

   a. (morar) Eu _____ na Avenida Paulista.

b. (trabalhar) Nós _____ no Banco do Brasil.
c. (procurar) A moça _____ um emprego na agência.
d. (encontrar) Os funcionários _____ o gerente na sala de reuniões.
e. (achar) Eu _____ São Paulo muito poluída.
f. (pensar) Elas _____ muito em morar aqui.
g. (comprar) A empregada _____ frutas e legumes no supermercado.
h. (levantar) Nós _____ muito cedo durante a semana.
i. (conversar) Eu sempre _____ com o supervisor sobre o problema.
j. (buscar) No fim da tarde, a gerente _____ os filhos na escola.

3 Conjugue os verbos como no exemplo:
A secretária liga o computador. (eles) – *Eles ligam o computador.*

a. Nós desligamos as luzes do escritório às 21h. (o segurança)

b. Eu trabalho no centro da cidade e moro perto do metrô. (os funcionários)

c. Todo dia ela compra frutas e legumes no hortifrúti. (meus amigos)

d. Elas visitam a fábrica durante a manhã. (eu)

e. Vocês almoçam muito cedo. (a recepcionista)

• **-ER:**

Pronomes	-ER: comer
eu	com**o**
você/ele/ela	com**e**
nós	com**emos**
vocês / eles / elas	com**em**

Nós sempre *comemos* feijoada.

Exercícios

1 Conjugue os verbos abaixo:
BEBER – *eu bebo, você bebe, nós bebemos, vocês bebem.*

| entender | convencer | atender | escrever | comparecer |
| esquecer | aparecer | fornecer | parecer | vender |

2 Conjugue os verbos dos parênteses:

a. (comer) Eu _____ arroz e feijão todo dia.
b. (beber) Eles _____ muita caipirinha.
c. (entender) Ela não _____ o que você fala.
d. (esquecer) O chefe sempre _____ seus cartões no escritório.
e. (parecer) Ela _____ muito com a mãe dela.
f. (atender) A recepcionista _____ às ligações telefônicas.
g. (atender) Os vendedores _____ os clientes na sala de reuniões.
h. (comparecer) Os diretores _____ à reunião com o governador do estado.
i. (escrever) A secretária _____ muitos emails de manhã.
j. (fornecer) Esta companhia _____ peças para a indústria automobilística.

3 Pergunte-me se...
Eu escrevo para os amigos. – *Você escreve para os amigos?*

a. Nós entendemos português.
   Vocês...
b. As secretárias escrevem a ata da reunião.

c. Os gerentes esquecem de trazer os relatórios.

d. A recepcionista atende aos telefonemas.

Presente do Indicativo dos Verbos Regulares (1) 123

e. Eu bebo café ou chá.

f. Os funcionários comem no refeitório da empresa.

- **-IR:**

Pronomes	-IR: partir
eu	part**o**
você/ele/ela	part**e**
nós	part**imos**
vocês / eles / elas	part**em**

O avião *parte* às 10h.

Exercícios

1. Conjugue os verbos:
   INSISTIR – *eu insisto, você insiste, nós insistimos, eles insistem*

reunir	decidir	assistir
imprimir	garantir	dividir
assumir	emitir	abrir

2 Conjugue os verbos dos parênteses:

a. (decidir) Eles _____ ir ao cinema no sábado.
b. (dividir) A chefe _____ suas tarefas entre os funcionários.
c. (garantir) A cliente _____ que vem amanhã.
d. (discutir) Os gerentes _____ os investimentos deste ano.
e. (assistir) Eu sempre _____ às notícias na TV.
f. (imprimir) A secretária _____ os formulários na impressora.
g. (assumir) O novo diretor _____ a empresa hoje.
h. (reunir) Eu sempre _____ a família no Natal.
i. (emitir) O departamento de compras _____ a nota fiscal.
j. (desistir) Nós nunca _____ de melhorar as vendas.

3 Use os verbos abaixo para preencher as lacunas:

desistir	insistir	proibir	abrir
reunir	emitir	dividir	

a. Nós _____ as tarefas em casa.
b. Ela _____ que devemos falar com o chefe ainda hoje.
c. A empresa _____ o uso de sites de relacionamentos durante o trabalho.
d. Eles _____ as janelas para entrar o ar.
e. A chefe _____ todos os funcionários na sala de reuniões.
f. Ele nunca _____ de conseguir uma promoção.
g. Elas sempre _____ os recibos e as notas fiscais para os clientes.

VI Presente do Indicativo dos Verbos Regulares (2)

Os verbos regulares não mudam seu radical e recebem as terminações de acordo com pessoa e número.

Marcadores temporais: todo dia, sempre, todo ano, etc.

Pronomes	-AR: buscar	-ER: entender	-IR: assistir
eu	busco	entendo	assisto
você/ele/ela	busca	entende	assiste
nós	buscamos	entendemos	assistimos
vocês / eles / elas	buscam	entendem	assistem

Este tempo é usado com marcadores temporais como: todo dia, hoje, sempre, toda semana, todo mês, todo ano, cada dois anos, cada três dias etc. Indica hábitos ou ações que têm certa frequência. Exemplos:

Todo dia, eu **acordo** cedo, **tomo** café da manhã e **pego** o metrô para o trabalho.
Nos fins de semana, nós **levantamos** tarde e **passamos** o dia no clube.
Nos sábados à noite, meus amigos **comem** pizza e **bebem** vinho.
A empresa **abre** contas no banco para seus funcionários.

Todo domingo, eles *caminham* juntos no parque.

Outros exemplos:

-AR	-ER	-IR
achar	aparecer	abrir
acordar	aprender	adquirir
almoçar	atender	assumir
conversar	beber	decidir
dominar	comer	definir
encontrar	comparecer	desistir
estudar	compreender	discutir
jantar	conhecer	dividir
levantar	escrever	emitir
morar	esquecer	fundir
mudar	fornecer	garantir
pensar	mover	imprimir
preparar	promover	partir
procurar	remover	presidir
tomar	socorrer	reunir
trabalhar		

Exercícios

1 Conjugue os verbos no presente.
PARTIR – *eu parto, você parte, nós partimos, vocês partem.*

falar	conversar	procurar	trabalhar
comer	beber	entender	atender
abrir	expandir	assumir	reunir

Presente do Indicativo dos Verbos Regulares (2)

2 Conjugue de acordo com o exemplo:
Exemplo: levantar cedo, tomar café da manhã, tomar um banho (eu)
Todo dia eu levanto cedo, tomo café da manhã e tomo um banho.

a. Depois, *escovar* os dentes, *colocar* a roupa, *pegar* um táxi (ela)

b. *Almoçar* ao meio-dia, *encontrar* e *conversar* com os clientes (nós)

c. *Escrever* emails, *atender* ao telefone, *arquivar* os documentos (eu)

d. *Voltar* para casa às 17h, *jantar* com a família, *receber* amigos (ele)

e. Nos fins de semana, *reunir* os amigos, *comer* um churrasco (nós)

f. À noite, *assistir* TV, *abrir* os emails, *navegar* na internet (eu)

g. De manhã, *definir* as tarefas do dia, *imprimir* os relatórios (o chefe)

h. Na reunião, *presidir* a mesa, *decidir* o que fazer (a diretora)

3 Pergunte-me se...
Eu moro em São Paulo. – *Você mora em São Paulo?*

a. ... meu chefe trabalha nos fins de semana.

b. ... eu gosto da empresa onde trabalho.

c. ... os vendedores atendem os clientes na sala de reuniões.

d. ... a secretária abre os emails todos os dias.

e. ... os funcionários chegam no horário e cumprem os prazos.

VII Presente do Indicativo dos Verbos Irregulares (1)

Pronomes	SER	IR	TER	ESTAR	SENTIR*
eu	sou	vou	tenho	estou	sinto
você / ele / ela	é	vai	tem	está	sente
nós	somos	vamos	temos	estamos	sentimos
vocês /eles /elas	são	vão	têm	estão	sentem

(*) Como SENTIR: preferir, vestir, investir, competir, conferir, servir, mentir etc.

Exercícios

1 Use o verbo SER:

a. A Sílvia _____ professora de inglês e _____ casada.
b. O Armando _____ vendedor de loja. Ele e sua esposa _____ comerciários.
c. Nós _____ brasileiros, mas não _____ cariocas.
d. Meus amigos _____ americanos. Eles _____ de Nova York.
e. Paulo Coelho _____ um escritor brasileiro. Ele _____ carioca.
f. Meu irmão _____ diretor de empresa. Minhas irmãs _____ advogadas.
g. Eu _____ Luís Antônio. _____ casado e _____ de São Paulo.

2 Pergunte-me se...
Eu sou brasileira. – *Você é brasileira?*

a. ... eu sou casada.

b. ... nós somos brasileiros.

c. ... meu marido é expatriado.

d. ... a secretária é solteira.

e. ... os brasileiros são simpáticos.

f. ... o Brasil é um país interessante.

g. ... nós somos corintianos.

h. ... os funcionários são pontuais.

3 Conjugue o verbo IR:

a. Todo dia nós _____ para a universidade de ônibus.
b. Ela _____ ao supermercado e depois _____ ao shopping center.
c. Vocês _____ viajar neste feriado?
d. Todos _____ participar da reunião hoje à tarde.
e. A secretária _____ ao RH buscar os documentos.
f. Eu _____ a pé ao trabalho. Mas quando chove, _____ de carro.
g. Os gerentes e diretores _____ para a sala de conferências.
h. Nós _____ participar deste evento também.
i. Eu e meus amigos _____ ao bar beber cerveja.
j. Você _____ ao escritório no sábado?
k. Hoje nós _____ arquivar todos estes papéis.

4 Mude o sujeito como no exemplo:
Exemplo: Eu tenho vinte anos e tenho dois irmãos. (elas)
Elas têm vinte anos e têm dois irmãos.

a. Hoje eu não tenho tempo. (meu chefe)

b. Nós temos de terminar o relatório ainda hoje. (os vendedores)

c. Eles têm uma casa no litoral. (eu)

d. Meus filhos têm escola amanhã. (nós)

e. Todo dia nós temos uma reunião. (os funcionários)

f. Você tem tempo hoje? (elas)

g. Quantos anos você tem? (as crianças)

h. O cliente tem hora marcada conosco hoje. (os clientes)

i. Eu tenho que enviar estes emails. (a secretária)

5 Pergunte-me se...
Eu estou em São Paulo a trabalho. – *Você está em São Paulo a trabalho?*

a. ... eu estou na sala de reuniões.

b. ... os documentos estão na pasta.

c. ... os diretores estão na reunião.

d. ... a secretária está na mesa dela.

e. ... tudo está pronto.

f. ... os vendedores estão na rua.

g. ... os papéis estão em ordem.

h. ... nós estamos atrasados.

6. Conjugue os verbos abaixo como no modelo:
   PREFERIR – *eu prefiro, você prefere, nós preferimos, vocês preferem.*

sentir	investir	conferir	divertir
mentir	servir	ferir	repetir
competir	vestir	conseguir	seguir

7. Responda, como no exemplo:
   Você prefere chá ou café? (chá) – *Eu prefiro chá.*

   a. Você investe em ações ou em imóveis? (em imóveis)

   b. Seu amigo veste jeans ou terno para trabalhar? (jeans)

   c. Os vendedores conferem as mercadorias ou as notas fiscais? (as notas fiscais)

   d. Você confere o estoque ou a saída de mercadorias? (o estoque)

   e. Você serve vinho ou cerveja aos amigos? (cerveja)

   f. Ela se diverte no cinema ou assistindo TV? (no cinema)

8. Modifique os textos abaixo:

   a. Eu *sou* Amélia Rodrigues e *tenho* trinta e cinco anos. *Estou* em São Paulo a trabalho. *Vou* ao escritório de metrô ou a pé. *Prefiro* voltar para casa mais cedo por causa do trânsito. (ela)

A CONJUGAÇÃO VERBAL

b. Eles *são* alemães e *têm* quarenta anos. *Estão* no Rio de Janeiro em férias. *Vão* à praia de carro e se *divertem* muito no mar. (nós)

_____
_____
_____

c. Alice *é* americana e *tem* vinte e cinco anos. Ela *está* no Brasil para estudar e trabalhar. *Vai* à universidade de ônibus ou de bicicleta e sempre *compete* nas corridas da cidade. (eu)

_____
_____
_____

d. Nós *somos* brasileiros e *somos* casados. *Temos* entre trinta e quarenta anos. *Estamos* aqui para trabalhar. Todo dia *vamos* ao escritório de metrô, mas *preferimos* ir de carro. (meus amigos)

_____
_____
_____

VIII Presente do Indicativo dos Verbos Irregulares (2)

Pronomes	SAIR	CONSTRUIR	FREAR	ODIAR	PEDIR
eu	saio	construo	freio	odeio	peço
você / ele / ela	sai	constrói	freia	odeia	pede
nós	saímos	construímos	freamos	odiamos	pedimos
vocês /eles /elas	saem	constroem	freiam	odeiam	pedem

Como SAIR: cair, atrair, subtrair, distrair, trair.
Como CONSTRUIR: destruir
Como FREAR: pentear, bloquear, recear, rodear, saquear, espernear etc.
Como ODIAR: mediar, intermediar
Como PEDIR: medir, ouvir

Exercícios

1 Conjugue os verbos:

a. (sair) Vocês _____ muito à noite?
b. (atrair) Os grandes centros sempre _____ imigrantes.
c. (distrair) Eu sempre me _____ vendo telenovelas.
d. (subtrair) Os conflitos sociais sempre _____ recursos importantes.
e. (sair) Eu _____ muito nos fins de semana. E você? Você _____ ?
f. (trair) Meu amigo nunca _____ minha confiança: ele é uma ótima pessoa.
g. (cair) Este ano o Natal _____ em uma quarta-feira.
h. (sair) Eles sempre _____ mais cedo na sexta-feira?
i. (distrair) Como eles se _____ nesta cidade? Vão ao cinema?
j. (subtrair) Se você _____ 20 de 100, restam 80.

2 Conjugue o verbo entre parênteses:

a. (construir) Muitas empresas _____ suas fábricas no interior do estado.
b. (construir) Ela _____ sua casa já faz dois anos.
c. (destruir) A falta de confiança _____ qualquer relacionamento.
d. (construir) Esta empreiteira _____ edifícios e pontes.
e. (destruir) Terremotos muito fortes _____ a cidade.
f. (destruir) A água das enchentes _____ os móveis das casas onde ela entra.
g. (construir) Nós _____ o viaduto e a ponte desta pequena cidade.
h. (construir) A Kongo Gumi _____ templos budistas no Japão.
i. (construir) Com perseverança eu _____ uma sólida carreira na empresa.

134　A CONJUGAÇÃO VERBAL

3 Preencha as lacunas com estes verbos:

> frear　passear　atear　recear　espernear
> saborear　grampear　bloquear

a. A polícia _____ as ruas para os carros oficiais passarem.
b. Ela _____ o carro quando estaciona na garagem.
c. Nós sempre _____ um delicioso açaí depois do almoço.
d. A secretária _____ os documentos antes de arquivá-los.
e. O bebê sempre _____ quando não lhe dão atenção.
f. À tarde eu sempre _____ com meu cachorro pelo parque.
g. Os criminosos _____ fogo ao edifício e escapam da polícia.
h. Ela _____ uma greve durante o processo de produção.

4 Siga o exemplo:
Eu odeio o trânsito desta cidade, mas ela não *odeia*.

a. Elas odeiam acordar cedo, mas eu não _____.
b. O chefe não odeia você, mas você o _____, certo?
c. Nós odiamos mudanças, mas elas não _____: ao contrário, elas adoram.
d. É verdade que você odeia trabalhar aqui? – Eu não _____, mas também não gosto.
e. Eles se odeiam, mas nós não nos _____: nos damos muito bem!

5 Preencha com os verbos:

a. No restaurante, eu sempre _____ a conta ao garçom. (pedir)
b. Ela _____ 1,65m, mas eu _____ 1,70m. (medir)
c. Eles _____ música muito baixo. Assim eu não _____ nada! (ouvir)
d. Desculpe-me: você pode falar mais alto? Eu não o _____ muito bem. (ouvir)
e. Ele sempre _____ desculpas, mas acaba cometendo o mesmo erro. (pedir)

f. A secretária nunca ▭ favores, mas eu ▭. (pedir)
g. Você sabe quanto ▭ esta sala? (medir)
h. Todo ano eles ▭ a filha para saber quanto ela cresce. (medir)
i. Eu sempre ▭ as palavras quando falo com a chefe... (medir)
j. Na minha sala eu sempre ▭ muito barulho por causa da rua movimentada. (ouvir)

IX Presente do Indicativo dos Verbos Irregulares (3)

Pronomes	VALER	CABER	PERDER	DORMIR	SUBIR
eu	valho	caibo	perco	durmo	subo
você / ele / ela	vale	cabe	perde	dorme	sobe
nós	valemos	cabemos	perdemos	dormimos	subimos
vocês /eles /elas	valem	cabem	perdem	dormem	sobem

Como DORMIR: cobrir, encobrir, tossir, engolir.
Como SUBIR: consumir, assumir, sumir, fugir, cuspir, sacudir.

Quando você tosse muito, é melhor tomar xarope.

Exercícios:

1 Conjugue os verbos como no exemplo:
COBRIR – *eu cubro, você cobre, nós cobrimos, vocês cobrem.*

a. encobrir: ▭
b. tossir: ▭
c. engolir: ▭
d. dormir: ▭

A CONJUGAÇÃO VERBAL

2 Preencha as lacunas com os verbos dos parênteses:

a. (encobrir) Ele sempre _____ a verdade, nunca fala nada.
b. (cobrir) Nós _____ toda a casa com telhas em dois dias.
c. (dormir) Eu nunca _____ bem no verão: é quente demais!
d. (dormir) Onde você _____ quando vai à praia?
e. (engolir) Eu sempre _____ os remédios sem água.
f. (tossir) As crianças _____ muito quando estão resfriadas.
g. (cobrir) A cozinheira _____ o bolo para evitar insetos.
h. (cobrir) No inverno, eu me _____ muito bem para dormir.
i. (encobrir) Por que eles sempre _____ os fatos?
j. (tossir) Eu _____ muito quando estou com dor de garganta.
k. (tossir) Você também _____?

3 Responda usando o verbo.
Exemplo: Você tosse? – *Tusso*.

a. Você cobre?
b. Ele cobre?
c. Nós cobrimos?
d. Vocês tossem?
e. Elas tossem?
f. Eu cubro?
g. Ela encobre?
h. Eles encobrem?
i. Nós engolimos?
j. Você engole?
k. Eu engulo?
l. Ela engole?

4 Preencha com os verbos do quadro:

subir   fugir   consumir   sumir   cuspir   sacudir   acudir

a. Todos _____ de elevador, mas eu _____ de escada.

b. Você sempre _____ na hora de pagar a conta!
c. Por que ela _____ das responsabilidades?
d. No Brasil, as pessoas _____ muito sal e muito açúcar.
e. Ele sempre _____ as provas de café.
f. Durante a festa, ela _____ o corpo para acompanhar a música.
g. Quando preciso de ajuda, a secretária me _____.

5 Conjugue os verbos como no exemplo:
FUGIR – *eu fujo, você foge, nós fugimos, vocês fogem.*

a. acudir: _____
b. cuspir: _____
c. sumir: _____
d. fugir: _____
e. consumir: _____

6 Preencha com os verbos:

a. (valer) Você sabe quanto _____ este carro?
b. (valer) Estes apartamentos _____ muito dinheiro!
c. (caber) Acho que engordei: eu não _____ mais em minhas roupas.
d. (caber) As malas não _____ no carro: são muito grandes!
e. (perder) O chefe sempre _____ a paciência com os funcionários, mas eu não _____.
f. (perder) Eles _____ a hora e chegam atrasados à reunião.
g. (perder) Os bons times raramente _____ para os times mais fracos.
h. (valer) Preciso saber quanto eu _____ para a empresa.
i. (valer) Você acha que _____ a pena trabalhar tanto?
j. (caber) O carro novo dele é muito grande. Não _____ na garagem.

x Presente do Indicativo dos Verbos Irregulares (4)

Pronomes	VER	FAZER	SABER	TRAZER	DIZER
eu	vejo	faço	sei	trago	digo
você / ele / ela	vê	faz	sabe	traz	diz
nós	vemos	fazemos	sabemos	trazemos	dizemos
vocês /eles /elas	veem	fazem	sabem	trazem	dizem

Os gatos veem tudo preto e branco?

Exercícios

1 Responda como no exemplo.
   Exemplo: Você vê a notícia na TV? (novela).
   – *Não. Eu vejo novela.*

a. Maria vê os amigos no sábado? (domingo)

b. Você vê TV todo dia? (no fim de semana)

c. Você e seus amigos veem um filme todo fim de semana? (uma vez por mês)

d. Eu vejo você amanhã de manhã? (amanhã à tarde)

e. Nós nos vemos na reunião à tarde? (no escritório amanhã)

f. Você vê algum problema neste projeto? (somente qualidades)

g. Seu chefe vê todos os relatórios de manhã? (depois do almoço)

h. Os diretores veem a ata de reuniões antes do evento? (durante o evento)

2 Faça frases:
Eu faço o jantar.

Eu		as malas.
Meus amigos		o café.
Nós		o jantar.
Minha chefe	FAZER	um telefonema.
A secretária		uma cópia do documento.
Minha amiga		exercícios na academia.
A empregada		a lição de casa.
Os clientes		uma chamada a cobrar.
		hora extra todo dia.

3 Pergunte-me se...

a. ... eu sei dirigir.
Você sabe dirigir?

b. ...nós sabemos nadar.

c. ...eu sei falar francês.

d. ...meus amigos sabem onde eu estou.

e. ...a secretária sabe andar de bicicleta.

f. ... eu sei onde fica o hortifrúti.

g. ... nós sabemos história do Brasil.

h. ...os compradores sabem fazer o trabalho deles.

4 Preencha com TRAZER:

a. Amanhã temos festa no departamento. Você _____ os sanduíches, e eu _____ as bebidas, ok?

b. As secretárias _____ o bolo, o chefe _____ salgadinhos, e a recepcionista _____ guardanapos.

c. Nós _____ tudo até a cozinha logo de manhã. A Rita _____ os brigadeiros, e a Natália _____ os beijinhos.

d. E o Alberto? O que ele _____? – Ele _____ a fome, porque haverá muita comida...

e. Você _____ o laptop até a sala de reuniões? Os vendedores _____ os formulários.

f. Vocês _____ muitos problemas ao departamento. Por que vocês nunca _____ soluções?

5 Faça frases com DIZER:

a. Eu sempre / a verdade.
Eu sempre digo a verdade.

b. A secretária / o que pensa.

c. Nós / bom dia quando chegamos.

d. Os funcionários nunca / nada durante o expediente.

e. Este cliente nem sempre / a verdade. Ele / muita mentira.

f. Eles / que haverá demissões.

XI Presente do Indicativo dos Verbos Irregulares (5)

Pronomes	VIR	PODER	PÔR	QUERER	PRODUZIR*
eu	venho	posso	ponho	quero	produzo
você / ele / ela	vem	pode	põe	quer	produz
nós	vimos	podemos	pomos	queremos	produzimos
vocês /eles /elas	vêm	podem	põem	querem	produzem

(*) como PRODUZIR: induzir, conduzir, deduzir, seduzir

Eles vêm de metrô ao trabalho.

Exercícios

1 Faça frases

Eu		de carro ao trabalho.
Nós		muito cedo ao escritório.
Minhas amigas		a pé sempre que possível.
Você	VIR	todos os dias bem cedo.
O chefe		de ônibus.
As diretoras		de avião a São Paulo.
Os funcionários		aqui todas as tardes.
		procurar os documentos no arquivo.

2 Responda.

a. Você pode vir mais cedo amanhã?
Posso. / Não posso.

b. Você pode falar com o cliente agora?

c. Elas podem fazer as compras hoje?

d. A recepcionista pode entrar?

e. Vocês podem buscar um café para nós?

f. Você pode fechar a porta?

g. A chefe pode falar alemão?

h. Eu posso telefonar para ela amanhã?

3 Complete com PÔR:

a. Eu ponho o casaco. Por que você também não _põe_?
b. Elas põem a carta no correio. Você _____ também?
c. A empregada põe a mesa para o almoço, mas, no fim de semana, eu _____ a mesa.
d. Antes de sair, elas _____ botas e casaco: faz muito frio hoje...
e. Ele sempre _____ o laptop na cadeira. Eu _____ na mesa.
f. Você _____ cachecol quando sai no frio?
g. Vocês _____ tênis ou sapato para ir ao parque?
h. Ela sempre _____ sapatos confortáveis para trabalhar.

4 Complete com QUERER.

a. Você _____ café ou chá? – Eu _____ café, sem açúcar, por favor.
b. Eles _____ ir ao cinema hoje à noite, mas eu _____ ficar em casa.
c. Meus amigos _____ assistir ao jogo de futebol na minha casa.
d. Vocês _____ uma cerveja ou _____ uma caipirinha?

e. Os turistas sempre _____ participar do ensaio da escola de samba.
f. A moça _____ muito desfilar no carnaval do ano que vem.
g. Ela trabalha muito porque _____ uma promoção.
h. Nós _____ sair mais cedo por causa do trânsito.

5 Use os verbos entre parênteses.

a. (produzir) Esta empresa _____ automóveis.
b. (induzir) Um manual ruim sempre _____ ao erro.
c. (deduzir) Eu _____ que vai chover: olhe aquelas nuvens!
d. (conduzir) Este vendedor nunca _____ bem uma reunião de negócios.
e. (produzir) Eu _____ muito melhor depois de um café.
f. (seduzir) O Rio de Janeiro _____ os turistas com suas belas praias.
g. (produzir) Eles _____ ótimos filmes neste país.
h. (conduzir) Motoristas que bebem _____ muito mal seus carros.
i. (deduzir) Nós _____ que você não vai sair conosco: ainda não está vestido!

XII Pretérito Perfeito dos Verbos Regulares

O Pretérito geralmente é usado com estes marcadores de tempo: ontem, anteontem, esta manhã, semana passada, mês passado, ano passado, três anos atrás, mês retrasado etc.

Pronomes	Presente -AR	Pretérito Perfeito -AR
eu	mor**o**	mor**ei**
você/ele/ela	mor**a**	mor**ou**
nós	mor**amos**	mor**amos**
vocês/eles/elas	mor**am**	mor**aram**

Pronomes	Presente -ER	Pretérito Perfeito -ER
eu	com**o**	com**i**
você/ele/ela	com**e**	com**eu**
nós	com**emos**	com**emos**
vocês/eles/elas	com**em**	com**eram**

Pronomes	Presente -IR	Pretérito Perfeito -IR
eu	assist**o**	assist**i**
você/ele/ela	assist**e**	assist**iu**
nós	assist**imos**	assist**imos**
vocês/eles/elas	assist**em**	assist**iram**

Hoje ela levantou cedo. Depois tomou café da manhã e tomou o metrô para o trabalho.
Hoje eu levantei cedo. Depois tomei café da manhã e tomei o metrô para o trabalho.

Ontem eles beberam vinho e comeram pizza. E também esqueceram a chave no restaurante...
Ontem nós bebemos vinho e comemos pizza. E também esquecemos a chave no restaurante...

Semana passada, o chefe pediu o carro da empresa e saiu para visitar o cliente.
Semana passada, eu pedi o carro da empresa e saí para visitar o cliente.

Exercícios

1 Conjugue os verbos no Pretérito Perfeito:
   FALAR – *falei, falou, falamos, falaram*

procurar	atender	fugir
morar	beber	abrir
trabalhar	comer	assistir

almoçar	entender	produzir
comprar	escrever	partir
encontrar	esquecer	sumir
escutar	prometer	consumir

2 Conjugue os verbos:

a. Levantar tarde / tomar um banho / comprar o jornal. (ontem / Maria)
   Ontem a Maria levantou tarde, tomou um banho e comprou o jornal.

b. Chegar cedo no escritório / escrever emails / almoçar ao meio-dia. (ontem / eu)

c. Esquecer a chave do carro / voltar para casa / chegar atrasado. (essa manhã / João)

d. Terminar o relatório / corrigir os erros / entregar ao chefe. (anteontem / nós)

e. Digitar a proposta / mandar tudo para o cliente / esperar o resultado. (hoje / eu)

f. Buscar os filhos na escola / preparar o jantar / assistir TV (anteontem / ele)

g. Navegar na internet / encontrar anúncios de casas / selecionar os melhores. (ontem / minhas amigas)

h. Conhecer a Foz do Iguaçu / caminhar pelo parque / dormir tarde. (ontem / nós)

3 Passe as frases abaixo para o Pretérito Perfeito:

a. Todo dia <u>acordo</u> cedo e <u>tomo</u> um banho.
   Ontem eu...

b. Escrevo o relatório de vendas e mando tudo para o gerente.

c. Ela abre uma conta no banco e deposita suas economias.

d. Nós promovemos uma grande festa e convidamos os amigos.

e. Meus colegas almoçam ao meio-dia e retornam ao escritório.

f. Todos comparecem ao evento e cumprimentam a artista.

g. Todo dia esqueço meus documentos em casa e volto para buscá-los.

h. Minha chefe reúne os funcionários e parabeniza a todos pelo bom trabalho.

XIII Pretérito Perfeito dos Verbos Irregulares (1)

Alguns verbos mudam o radical quando conjugados no presente ou no pretérito. Exemplo: Ontem fui ao cinema. (verbo IR)

Os marcadores temporais para o Pretérito Perfeito são: ontem, anteontem, hoje de manhã, semana passada, mês passado, dois dias atrás, um ano atrás etc.

Ontem eu fui ao cinema.

Pretérito Perfeito dos Verbos Irregulares (1)

		Presente	Pretérito Perfeito	
SER	eu	sou	fui	recepcionista.
	você / ele / ela	é	foi	dentista.
				assistentes administrativos.
	nós	somos	fomos	
	vocês / eles / elas	são	foram	diretores.
IR	eu	vou	fui	ao trabalho a pé.
	você / ele / ela	vai	foi	ao cinema de táxi.
				ao estádio de ônibus.
	nós	vamos	fomos	à Europa de navio.
	vocês / eles / elas	vão	foram	
TER	eu	tenho	tive	pouco tempo livre.
	você / ele / ela	tem	teve	cartão de crédito.
				cartão de débito.
	nós	temos	tivemos	uma conta no Bradesco.
	vocês / eles / elas	têm	tiveram	
ESTAR	eu	estou	estive	com fome.
	você / ele / ela	está	esteve	com sede.
				em São Paulo.
	nós	estamos	estivemos	aqui a trabalho.
	vocês / eles / elas	estão	estiveram	
VER	eu	vejo	vi	a novela das 21h.
	você / ele / ela	vê	viu	um bom filme.
				um filme de terror.
	nós	vemos	vimos	os amigos à noite.
	vocês / eles / elas	veem	viram	

A CONJUGAÇÃO VERBAL

		presente	pretérito	
FAZER	eu	faço	fiz	um bolo de fubá.
	você / ele / ela	faz	fez	doces para fora.
				as malas para viajar.
	nós	fazemos	fizemos	o relatório mensal.
	vocês / eles / elas	fazem	fizeram	
SABER	eu	sei	soube	falar inglês.
	você / ele / ela	sabe	soube	esquiar.
				dirigir muito bem.
	nós	sabemos	soubemos	tocar flauta.
	vocês / eles / elas	sabem	souberam	
TRAZER	eu	trago	trouxe	os papéis do arquivo.
	você / ele / ela	traz	trouxe	o laptop para casa.
				as bebidas para a festa.
	nós	trazemos	trouxemos	
	vocês / eles / elas	trazem	trouxeram	um casaco.
DIZER	eu	digo	disse	tudo.
	você / ele / ela	diz	disse	uma mentira.
				toda a verdade.
	nós	dizemos	dissemos	para eu esperar aqui.
	vocês / eles / elas	dizem	disseram	

Exercícios

1 Passe as frases para o Pretérito Perfeito.

a. Eu sou secretária bilíngue.
Eu fui secretária bilíngue.

b. Meu chefe é membro do Rotary Club.

c. Nós somos muito amigos.

Pretérito Perfeito dos Verbos Irregulares (1)   149

d. Eu sou o melhor vendedor da empresa.

e. Vamos ao cinema assistir a um filme francês.

f. Vou ao supermercado comprar frutas.

g. Amanda vai ao parque para andar de bicicleta.

h. Todos vão à festa de fim de ano.

i. Nunca tenho muito dinheiro.

j. Vocês têm tempo para limpar a casa?

k. A recepcionista tem problemas com o novo telefone.

l. Estou no Rio a trabalho.

m. Estamos todos no restaurante para jantar.

n. O diretor está na Europa viajando.

o. Eu vejo notícias na TV.

p. Vemos os amigos no sábado.

q. Eles não veem problema no contrato.

r. Faço minha mala para a viagem.

s. Sempre fazemos uma festa em nosso aniversário de casamento.

t. Você sabe que a Mary recebeu uma promoção?

150 A CONJUGAÇÃO VERBAL

u. Eu sei que todos têm problemas com o novo sistema.

v. Ela traz o laptop para casa.

w. Meus amigos trazem os sanduíches para a festa.

2 Passe as frases para o presente.

a. Ela trouxe a filha para o trabalho.
Ela traz a filha para o trabalho.

b. Nós sempre trouxemos os formulários preenchidos.

c. Eu trouxe uma ótima notícia.

d. Ela disse toda a verdade.

e. Eu disse para o chefe o que aconteceu.

f. Vocês disseram alguma coisa?

g. Nunca fui muito boa em administração de conflitos.

h. Eles foram diretores nesta empresa.

i. Vocês foram ao parque?

j. Eu fui ao hortifrúti para comprar morangos.

k. Você teve tempo para ler aquele relatório?

l. Nunca tive muita paciência para jogos.

m. Eles tiveram problemas na alfândega.

n. Você esteve na reunião?

o. Eles estiveram no escritório hoje.

p. Nós estivemos no Pão de Açúcar.

q. A secretária não viu o chefe entrar.

r. Nós vimos os jogos pela TV.

s. Os funcionários viram a conferência pela internet.

t. Você fez suas malas para a viagem?

u. Eu fiz um bolo de chocolate para o café.

v. Soubemos que o diretor vai se aposentar.

w. Soube do problema assim que tentei usar o novo sistema.

x. Trouxemos as bebidas para a festa do departamento.

3 Responda como no exemplo.
Exemplo: Você já esteve no Rio de Janeiro? – *Estive.* ou – *Não, não estive.*

a. Você já foi assistente da Diretoria?
b. Ela foi ao cinema ontem?
c. Você foi ao cinema semana passada?
d. Seu chefe já foi gerente?
e. Vocês já foram gerentes?
f. Você viu o noticiário da TV ontem?
g. Eles viram o filme de ontem?
h. Você soube que a Mary vai casar?
i. Vocês souberam sobre a greve?

j. A copeira trouxe o café?
k. Você trouxe os relatórios?
l. Eles trouxeram as chaves?
m. Você fez o email para os clientes?
n. Elas fizeram um bom trabalho?
o. Você já esteve na Amazônia?
p. Ela disse tudo que pensava?
q. Você disse alguma coisa?

4 Mude o sujeito.

a. Ela é a diretora da empresa (nós).
   Nós somos as diretoras da empresa.
b. Nós fomos do departamento de vendas (eu).

c. A secretária traz o cliente até aqui (os vendedores).

d. Eles trazem alguma novidade (ela)?

e. Eu vi TV no fim de semana (meus amigos).

f. Eles veem os amigos no fim de semana (eu).

g. A chefe soube da novidade (nós).

h. Eles sabem sobre o aumento aos funcionários (o diretor financeiro).

i. Tenho pouco tempo durante a semana (nós).

j. Tivemos um pequeno problema na produção (eles).

k. Estou nos Estados Unidos até segunda-feira (nós).

l. Os operários estiveram na fábrica no sábado (eu).

XIV Pretérito Perfeito dos Verbos Irregulares (2)

Faça uma frase no presente com os verbos abaixo e peça ao colega/aluno para passá-la para o Pretérito Perfeito.

Exemplo:
- Eu venho de ônibus para o escritório. / *Ontem eu vim de ônibus para o escritório.*

		Presente	Pretérito Perfeito	
VIR	eu	venho	vim	de ônibus.
	você / ele / ela	vem	veio	de táxi.
	nós	vimos	viemos	a pé
	vocês / eles / elas	vêm	vieram	à tarde.
PODER	eu	posso	pude	sair mais cedo.
	você / ele / ela	pode	pôde	falar com os amigos.
	nós	podemos	pudemos	comprar aquela casa.
	vocês / eles / elas	podem	puderam	nadar na piscina.
PÔR	eu	ponho	pus	a mesa para o jantar.
	você / ele / ela	põe	pôs	um tênis para correr.
	nós	pomos	pusemos	os papéis na gaveta.
	vocês / eles / elas	põem	puseram	os livros na estante.

A CONJUGAÇÃO VERBAL

QUERER	eu	quero	quis	procurar trabalho.
	você / ele / ela	quer	quis	tomar um café.
	nós	queremos	quisemos	ligar para a família.
	vocês / eles / elas	querem	quiseram	dormir até tarde.
PRODUZIR[1]	eu	produzo	produzi	o filme.
	você / ele / ela	produz	produziu	automóveis no Brasil.
	nós	produzimos	produzimos	um texto.
	vocês / eles / elas	produzem	produziram	pneus.
DORMIR[2]	eu	durmo	dormi	até tarde.
	você / ele / ela	dorme	dormiu	muito cedo.
	nós	dormimos	dormimos	oito horas -à noite.
	vocês / eles / elas	dormem	dormiram	no hotel.
SUBIR[3]	eu	subo	subi	pela escada.
	você / ele / ela	sobe	subiu	de elevador.
	nós	subimos	subimos	na vida.
	vocês / eles / elas	sobem	subiram	na empresa.
PENTEAR[4]	eu	penteio	penteei	o cabelo de manhã.
	você / ele / ela	penteia	penteou	o cabelo da menina.
	nós	penteamos	penteamos	com escova.
	vocês / eles / elas	penteiam	pentearam	o cabelo várias vezes.

[1] Como PRODUZIR: conduzir, induzir, deduzir, seduzir.
[2] Como DORMIR: cobrir, encobrir, engolir, tossir.
[3] Como SUBIR: consumir, sumir, cuspir, fugir.
[4] Como PENTEAR: frear, saborear, bloquear, passear, grampear.

Pretérito Perfeito dos Verbos Irregulares (2) 155

Exercícios

1 Responda usando o verbo:

a. Você vem? *Venho*
b. Ele vem?
c. Eu venho?
d. Ela quer?
e. Eles querem?
f. Vocês vêm?
g. Ele freia?
h. Você freia?

i. Elas põem?
j. Você põe?
k. Você quer?
l. Você pode?
m. Eu posso?
n. Você vem?
o. Elas vêm?
p. Você dorme?

2 Passe as frases para o Pretérito Perfeito.

a. Eu venho a pé ao escritório.

b. A secretária vem de carro.

c. Eles vêm de ônibus.

d. Nós vimos aqui para falar com o diretor.

e. Eu posso falar com o chefe.

f. Nós podemos terminar o trabalho em tempo.

g. Você pode ligar para o cliente?

h. Eu ponho gravata para a reunião.

i. Elas põem os relatórios no arquivo.

j. Nós pomos a carta no correio.

k. Ela quer café com adoçante.

l. Você quer viajar para a Europa?

m. Nós queremos falar com a diretora.

n. A empresa produz cinquenta automóveis por hora.

o. Este vendedor conduz bem os negócios.

p. Elas deduzem as contas do médico do Imposto de Renda.

q. Nós produzimos muito papel com tanta burocracia.

3 Passe para o presente.

a. Você dormiu bem com todo este calor?

b. Ela tossiu muito a noite toda.

c. Nós cobrimos o bolo com chocolate.

d. Você subiu de elevador ou pela escada?

e. Nós subimos até o topo da Torre Eiffel.

f. As pessoas consumiram muito por causa da economia favorável.

g. Eu consumi todo o papel do escritório.

h. O motorista freou o carro em tempo.

i. Os filmes estrearam no mesmo dia.

j. A polícia bloqueou as ruas por causa dos protestos.

4 Responda com no exemplo.
Exemplo: Você dorme bem à noite? (mal) – *Não, eu durmo mal à noite.*

a. Eles querem um café? (um chá)

b. Você quis um chá também? (um café com leite)

c. O diretor nomeia um novo assistente? (uma nova assistente)

d. Ele freou o carro em tempo? (bem antes)

e. Você sempre sobe pelas escadas? (de elevador)

f. Você subiu de elevador esta manhã? (pelas escadas: o elevador estava quebrado)

g. Você vem muito aqui? (uma vez por mês)

h. Você veio aqui ontem? (mês passado)

i. Ela sempre põe óculos para trabalhar? (lentes de contato)

j. Ontem ela pôs as lentes? (os óculos: seus olhos estavam irritados)

k. As empresas produzem automóveis aqui? (caminhões)

l. Elas produziram muito ano passado? (ano retrasado)

xv Pretérito Perfeito dos Verbos Irregulares (3)

Faça frases no presente com os verbos abaixo e peça a seu colega/aluno para passar para o Pretérito Perfeito.

Exemplo: Eu geralmente prefiro chá. Mas ontem eu... – *preferi café*.

		Presente	Pretérito	
SAIR[1]	eu	saio	saí	tarde do escritório.
	você / ele / ela	sai	saiu	com os amigos.
	nós	saímos	saímos	cedo de casa.
	vocês / eles / elas	saem	saíram	do aeroporto para casa.
PREFERIR[2]	eu	prefiro	preferi	chá a café.
	você / ele / ela	prefere	preferiu	ir para casa mais cedo.
	nós	preferimos	preferimos	ficar em casa hoje.
	vocês / eles / elas	preferem	preferiram	sair no sábado.
PEDIR[3]	eu	peço	pedi	a conta.
	você / ele / ela	pede	pediu	um favor.
	nós	pedimos	pedimos	o menu.
	vocês / eles / elas	pedem	pediram	silêncio.

Pretérito Perfeito dos Verbos Irregulares (3)

PERDER	eu	perco	perdi	a paciência.
	você / ele / ela	perde	perdeu	a hora.
	nós	perdemos	perdemos	meus documentos.
	vocês / eles / elas	perdem	perderam	meu cartão.
VALER	eu	valho	vali	muito.
	você / ele / ela	vale	valeu	a pena.
	nós	valemos	valemos	muito pouco.
	vocês / eles / elas	valem	valeram	demais.
CABER	eu	caibo	coube	no carro.
	você / ele / ela	cabe	coube	no porta-malas.
	nós	cabemos	coubemos	na roupa.
	vocês / eles / elas	cabem	couberam	no assento do avião.
ODIAR[4]	eu	odeio	odiei	matemática.
	você / ele / ela	odeia	odiou	viajar.
	nós	odiamos	odiamos	muito barulho.
	vocês / eles / elas	odeiam	odiaram	o trânsito desta cidade.
CONSTRUIR[5]	eu	construo	construí	uma casa no interior.
	você / ele / ela	constrói	construiu	edifícios.
	nós	construímos	construímos	uma ponte.
	vocês / eles / elas	constroem	construíram	um império financeiro.

[1] Como SAIR: cair, atrair, trair, contrair, subtrair, etc.
[2] Como PREFERIR: sentir, mentir, vestir, investir, vestir-se, servir, competir – eu visto, você veste, nós vestimos, vocês vestem.
[3] Como PEDIR: medir, ouvir – eu ouço, você ouve, nós ouvimos, vocês ouvem.
[4] Como ODIAR: ansiar, incendiar, remediar, mediar. Obs.: os demais são regulares, como: copiar, pronunciar, renunciar - eu copio, você copia, eu copiei etc.
[5] Como CONSTRUIR: destruir. Obs.: os demais são regulares, como: poluir, atribuir, substituir – eu substituo, você substitui, nós substituímos etc.

Exercícios

1 Passe as frases para o pretérito perfeito.

a. Ela sai todas as noites.
   Semana passada, ela...

b. Nós saímos com os amigos para comemorar.

c. Eles saem de casa muito cedo.

d. Eu saio do escritório muito tarde.

e. Eu prefiro café puro.

f. Você prefere ficar em casa?

g. Nós nos sentimos muito bem nesta cidade.

h. Eu me visto muito rápido para sair.

i. Meu amigo pede a conta no restaurante.

j. Nós pedimos um aumento ao chefe.

k. Eu sempre ouço música brasileira.

l. Eles ouvem a campainha tocar?

m. O filme vale a pena.

n. Eu valho muito para a empresa.

o. As malas cabem no carro?

p. Eu caibo no banco de trás.

q. Nós cabemos no elevador.

r. Ela odeia o trânsito desta cidade.

s. Eu odeio levantar cedo.

t. Nós odiamos aquele musical.

u. Esta empresa constrói muitos edifícios na cidade.

v. A poluição destrói o bem-estar das pessoas.

w. Nós destruímos todos os arquivos antigos.

x. Eles constroem inúmeras pontes pelo país.

2. Mude o sujeito conforme o exemplo:
Exemplo: Prefiro chá a café. (eles) – *Eles preferem chá a café.*

a. Preferimos sair de carro. (minhas amigas)

b. Ontem preferi sair mais cedo. (o chefe)

c. Semana passada saímos para jogar futebol. (eu)

d. Eu sempre saio nos fins de semana. (nós)

e. Todo dia peço um peixe no restaurante. (nós)

f. Ontem pedi carne vermelha e batata. (eles)

A CONJUGAÇÃO VERBAL

g. Ela sempre perde a hora e chega atrasada. (eles)

h. Ontem a secretária perdeu os documentos. (eu)

i. Os apartamentos valem muito dinheiro hoje. (a casa)

j. No passado, esta casa valeu muito mais. (estes prédios)

k. As malas não cabem no carro. (a bicicleta)

l. Eu não coube em minha roupa depois do natal... (eles)

m. Odeio ter de levantar cedo. (as pessoas)

n. Odiei ter que sair mais tarde ontem. (os funcionários)

o. Sempre odiei o barulho desta avenida. (elas)

p. Esta empresa constrói muitos prédios na Avenida Berrini. (estas empresas)

q. Ela construiu o prédio onde moro. (eles)

3 Responda. Depois entreviste um colega ou seu professor.

a. Você prefere açúcar, adoçante ou nada no seu café?

b. Você gosta do trânsito desta cidade ou o odeia?

c. Você sempre pede a conta no restaurante ou seus amigos pedem?

d. Você já pediu algum favor a seus colegas ou eles pediram a você?

e. Você e sua família saíram no fim de semana? Para onde?

f. Valeu a pena trabalhar tanto? Por quê?

g. Você perde peso facilmente? Como?

h. Você ou alguém da sua família já construiu alguma casa? Quando?

i. Você já pediu um aumento ao seu chefe? Quando?

j. Como você se veste para uma festa?

k. Você já investiu na Bolsa ou em imóveis? Valeu a pena?

l. Você se sente bem ou mal em sua empresa? Por quê?

m. Você já competiu em alguma corrida ou competição/jogo? Como foi?

XVI   Pretérito Imperfeito do Indicativo: FALAVA, COMIA, ABRIA

• **Conjugação**

1   Verbos Regulares

Conjugações	Pronomes	Comprar	Vender	Abrir
AR → AVA	eu	comprava	vendia	abria
ER/IR → IA	você/ele/ela	comprava	vendia	abria
	nós	comprávamos	vendíamos	abríamos
	vocês/eles/elas	compravam	vendiam	abriam

2 Verbos Irregulares: são apenas quatro.

Pronomes	Ser	Ter	Vir	Pôr
eu	era	tinha	vinha	punha
você/ele/ela	era	tinha	vinha	punha
nós	éramos	tínhamos	vínhamos	púnhamos
vocês/eles/elas	eram	tinham	vinham	punham

3 Usos: basicamente, são cinco situações.

1ª Com os marcadores temporais: Antigamente, naquela época, quando criança etc. ("used to" = costumava)	Antigamente eu *trabalhava* como secretária.
2ª Descrição no passado.	Ela não veio trabalhar ontem porque *estava* doente.
3ª Intenção no passado.	Ele *ia* pedir ajuda quando finalmente encontrou o arquivo.
4ª Duas ações longas e simultâneas no passado.	Enquanto ele *falava*, todos *ouviam* atentamente.
5ª Uma ação longa interrompida por uma ação curta.	*Estava esperando* uma ligação importante quando o telefone tocou.

Obs.: em contraste com o Pretérito Perfeito (representa uma ação/um ponto no passado), muitas vezes o Pretérito Imperfeito não deixa claro que a ação acabou (representa um período no passado).

Exercícios

1 Conjugue os verbos:
BUSCAR – *Antigamente eu buscava, você buscava, nós buscávamos, vocês buscavam.*

trazer	pôr*	ter*	construir	elaborar
fazer	trabalhar	ser*	exigir	ver
falar	morar	ir	beber	vir*

2 Conjugue os verbos dos parênteses:

a. (morar) Antigamente nós _____ no Rio de Janeiro. Hoje moramos em São Paulo.
b. (ser/estudar) Quando eu _____ criança, _____ no centro.
c. (trabalhar/fazer) Quando eles _____ em Nova York, _____ muitos exercícios no Central Park.
d. (ser/escrever) Na época em que eu _____ vendedor, _____ inúmeros relatórios para a gerência.
e. (vir/trazer) Quando eu _____ aqui muito tempo atrás, sempre _____ minha família comigo.
f. (estar/ter) Sempre que ela _____ viajando, nunca _____ tempo para ligar para os amigos.
g. (escutar/praticar) Quando criança, ele _____ música clássica e _____ no piano da família.
h. (sofrer/ir) Naquela época, eu já _____ de artrite e _____ muito ao médico.

3 Passe as frases do presente para o passado. Escolha entre Pretérito Perfeito (fez) e Pretérito Imperfeito (fazia):

a. Nos fins de semana, todos vão ao parque e praticam esportes.
_____

b. Quando ela chega no escritório, liga as luzes e o computador. Depois checa seus e-mails.
Antigamente...

c. Quando trabalhamos neste projeto, decidimos mudar alguns detalhes.

d. Estamos jantando quando o telefone toca. É meu vinho avisando que está em casa.

e. Na recepção trabalham duas moças e um rapaz. Atrás dela, há três elevadores.

f. Não posso ir à aula porque não me sinto bem.

g. Sempre que ela fala, ele a interrompe.

h. Enquanto leio o jornal, meus filhos brincam no playground.

i. O tempo está muito bom. Provavelmente vamos ao clube e vamos almoçar lá.

j. Quando sou criança, brinco no parque com meus amigos. Também estudo muito e pratico esportes.

XVII Futuro Imediato

• **Formação: verbo IR + infinitivo**

	IR	Infinitivo	
eu	vou	caminhar	no parque domingo.
você / ele / ela	vai	trabalhar	neste sábado.
nós	vamos	fazer	os exercícios de português.
vocês / eles / elas	vão	dormir	até tarde amanhã.

Exercícios

1 Faça frases:

a. Nós / ficar / em casa neste feriado.

b. Nós / escrever / os emails esta tarde.

c. Os vendedores / entregar / os relatórios ainda hoje.

d. Os jogos / acontecer / neste domingo.

e. As farmácias / fechar / sábado à noite.

f. Eu / telefonar / para os amigos hoje.

g. Ela / navegar / na internet.

h. As empresas / demitir / altos executivos.

2 Pergunte-me se...
Exemplo: eu vou viajar neste feriado. – *Você vai viajar neste feriado?*

a. Nós vamos trabalhar no fim de semana.
Vocês...

b. O chefe vai convocar uma reunião hoje.

c. Eu vou almoçar com você hoje.

d. Meus colegas vão participar do congresso.

e. Essas pessoas vão trabalhar na empresa.

168   A CONJUGAÇÃO VERBAL

3 Faça frases.

a.	As secretárias	dar uma volta depois do almoço.
b.	O gerente	fazer uma limpeza nos dentes dele.
c.	A diretora	analisar os exames.
d.	O médico	entrar em greve amanhã de manhã.
e.	Os professores	participar da reunião de hoje à tarde.
f.	Nós	preparar a proposta de vendas.
g.	A dentista	escrever a ata de reuniões.
h.	A recepcionista	cobrar o serviço.

IR

4 Responda.
Exemplo: Elas vão ao cinema ou ao teatro hoje? (ficar em casa)
Nenhum dos dois. Elas vão ficar em casa.

a. A moça vai casar ou vai comprar uma bicicleta? (viajar)

b. Os funcionários vão sair de férias ou trabalhar? (entrar em greve)

c. O diretor vai participar da reunião ou do congresso? (conferência)

d. Nós vamos ir a Londres ou a Paris? (a Brasília)

e. Eles vão esperar ou fechar o negócio? (desistir da venda)

f. Você vai escrever um romance ou um livro de contos? (os relatórios de vendas)

g. Eu vou sair com você ou ficar em casa? (trabalhar)

5 Quais são seus planos para este ano? Você vai viajar? Para onde? Vai com sua família? Ou vai somente trabalhar? Vai ao cinema, teatro, museu, estádio?

_____
_____
_____
_____
_____

XVIII Futuro do Presente do Indicativo: FALAREI, FALARÁ

- **Formação: infinitivo + as terminações –ei, -á, -emos, -ão**

	Verbos em -AR	Verbos em -ER	Verbos em -IR
eu	comprar**ei**	ser**ei**	dormir**ei**
você/ ele / ela	comprar**á**	ser**á**	dormir**á**
nós	comprar**emos**	ser**emos**	dormir**emos**
vocês /eles / elas	comprar**ão**	ser**ão**	dormir**ão**

Há somente 3 irregulares: fazer, dizer, trazer.

	FAZER → far	DIZER → dir	TRAZER → trar
eu	far**ei**	dir**ei**	trar**ei**
você/ ele / ela	far**á**	dir**á**	trar**á**
nós	far**emos**	dir**emos**	trar**emos**
vocês /eles / elas	far**ão**	dir**ão**	trar**ão**

Marcadores Temporais: esta noite, hoje de noite, amanhã, amanhã de manhã, mês que vem, ano que vem, na próxima reunião, quando eu estiver em casa etc.

Exercícios

1. Conjugue os verbos conforme o exemplo:
   Exemplo: amanhã/eu/levantar cedo. *Amanhã levantarei cedo.*

   a. Mês que vem/ nós / viajar para a Europa.

   b. Amanhã à tarde / ele / receber o dinheiro.

   c. Hoje à noite / nós / ir ao cinema.

   d. No almoço / eu / dar uma volta no shopping.

   e. Amanhã / eles / fazer todo o trabalho.

   f. Semana que vem / eu / trazer os relatórios.

2. O que você fará nos próximos cinco anos? – *Trabalharei muito...*

3. O que acontecerá na economia mundial nos próximos dez anos? – *O Brasil...*

4. Transforme as frases do Futuro Imediato para o Futuro do Presente.
   Exemplo: Neste fim de semana vamos trabalhar no projeto.
   Neste fim de semana trabalharemos no projeto.

   a. Vamos fazer o possível para aumentar as vendas.

   b. A dentista vai extrair o dente do paciente.

   c. Ele vai fazer um tratamento de canal dentário.

Futuro do Presente do Indicativo: FALAREI, FALARÁ   171

d. Eu vou viajar nas férias.
___

e. Os gerentes vão se reunir hoje à tarde.
___

f. Nós vamos estudar mais português.
___

g. Ela vai dizer o que ouviu para o chefe.
___

h. Vamos ouvir o que ela tem a dizer.
___

5 Promessas de campanha: preencha as lacunas

Se eu for eleito, prometo que _____ (reformar) todo o sistema tributário do País. Além disso, _____ (fomentar) o crescimento industrial porque _____ (oferecer) redução de impostos para construção de empresas em cidades mais carentes. _____ (conduzir) uma reforma no sistema de ensino e _____ (trazer) as melhores tecnologias e os melhores profissionais da área de educação para treinar nossos professores. _____ (melhorar) também o sistema de saúde de nosso país, pois _____ (contratar) mais médicos com bons salários e outros benefícios. Assim os _____ (trazer) até os pontos mais isolados e necessitados de saúde. _____ (dar) o melhor de mim para cumprir essas promessas e _____ (fazer) o possível e o impossível para tornar nossos trabalhadores mais capacitados e competitivos.

6 Passe o texto acima para "Nós": *Se nós formos eleitos...*

xix Futuro do Pretérito do Indicativo (condicional): FALARIA, FALARÍAMOS

• **Formação:** infinitivo + as terminações –ia, -ia, -íamos, -iam

	Verbos em -AR	Verbos em -ER	Verbos em -IR
eu	compraria	seria	dormiria
você/ ele / ela	compraria	seria	dormiria
nós	compraríamos	seríamos	dormiríamos
vocês /eles / elas	comprariam	seriam	dormiriam

Há somente 3 irregulares: fazer, dizer, trazer.

	FAZER → far	DIZER → dir	TRAZER → trar
eu	faria	diria	traria
você/ ele / ela	faria	diria	traria
nós	faríamos	diríamos	traríamos
vocês /eles / elas	fariam	diriam	trariam

Os marcadores do condicional são: com mais tempo (se eu tivesse mais tempo), se possível (se fosse possível), com dinheiro (se eu tivesse dinheiro) etc.

Com mais tempo, eu leria muito mais.

Exercícios:

1 Use o condicional:

a. Com mais tempo / eu / estudar mais / e viajar mais.

b. Se possível / nós / fazer uma longa viagem pelo mundo.

c. Com certeza / eles / procurar outro emprego neste caso.

d. No lugar dele / eu / agir de outra maneira e / dizer toda a verdade.

e. Com maior planejamento / a empresa / trazer mais lucro.

f. No seu lugar, eu / não ir lá agora.

2 Complete com o condicional:

a. Com mais recursos, a empresa...

b. Com um milhão de reais, eu...

c. Com mais tempo, nós...

3 Passe as frases do Imperativo para o Condicional.
Exemplo: Feche a porta, por favor!
Você fecharia a porta? / Você poderia fechar a porta?

a. Traga os relatórios até minha sala.

b. Faça um café para a reunião.

c. Venha até aqui, por favor!

d. Façam menos barulho, por favor!

e. Diga tudo o que sabe.

f. Telefone para os clientes ainda hoje.

g. Participe desta reunião.

h. Entregue esta correspondência à secretária.

4 Pergunte-me se...
Exemplo: eu diria toda a verdade. – *Você diria toda a verdade?*

a. Eles comprariam esta casa.

b. Nós faríamos o negócio.

c. Elas trariam o laptop.

d. A advogada o defenderia.

e. Estaria tudo pronto a tempo.

f. Eles venderiam aquele carro antigo.

g. Nós iríamos à reunião no seu lugar.

h. Faríamos isso por você.

xx Tempos Compostos do Indicativo (1) — Perfeito Composto: TENHO TIDO

• **Formação:** o verbo TER no Presente do Indicativo + Particípio Passado

	TER	Particípio
eu	tenho	trabalh**ado** muito ultimamente.
você ele / ela	tem	beb**ido** muita cerveja nos últimos dias.
nós	temos	assist**ido** TV todas as noites.
vocês / eles / elas	têm	po**sto** cartas no correio toda semana.

Marcadores temporais: ultimamente, nos últimos tempos, nas últimas semanas, nos últimos dias, desde mês passado, etc. (no inglês = *lately*)

• **Particípio Passado:**

Particípios regulares:
-AR → - ADO (falado, trabalhado, conversado, investigado, etc.)
-ER → - IDO (bebido, comido, entendido, esquecido, etc.)
- IR → - IDO (assistido, cumprido, partido, ouvido, etc.)

Particípios Irregulares:

Infinitivo	Particípio	Infinitivo	Particípio
ganhar	ganho	ver	visto
gastar	gasto	abrir	aberto
pagar	pago	cobrir	coberto
dizer	dito	pôr	posto
fazer	feito	vir	vindo
escrever	escrito		

Exercícios

1 Conjugue o verbo de acordo com o modelo:
Fazer muitas coisas / ela: Ultimamente ela tem feito muitas coisas.

a. Escrever inúmeros contratos / os advogados.

b. Falar com clientes e fornecedores / eu

c. Beber com os amigos no fim de semana / ele

d. Assistir às telenovelas / os alunos

e. Permitir a entrada de estranhos / a recepcionista

f. Construir muitos prédios / esta empresa

g. Trabalhar neste projeto / os engenheiros

h. Não conseguir encontrar a solução para o problema / os supervisores

2 O que você tem feito desde que chegou a esta cidade? Dê respostas verdadeiras para você.
Exemplo: visitar os museus → Eu (não) tenho visitado os museus.

a. Trabalhar muito na empresa.

b. Estudar português.

c. Trabalhar em um projeto importante.

d. Ir ao teatro e ao cinema.

e. Fazer compras para a casa.

f. Escutar música brasileira.

g. Falar com a família pelo Skype.

h. Usar o *tablet* no trabalho.

i. Pôr gasolina sempre no mesmo posto.

j. Comprar objetos interessantes de decoração.

k. Apagar as luzes do escritório antes de sair.

XXI   Tempos Compostos do Indicativo (2): Mais-que-Perfeito Composto: TINHA TIDO

• **Formação:** o verbo TER no Pretérito Imperfeito do Indicativo + Particípio Passado

	TER	Particípio
eu	tinha	trabalh**ado** muito neste projeto.
você ele / ela	tinha	beb**ido** muita cerveja antes do almoço.
nós	tínhamos	assist**ido** TV todas as noites.
vocês / eles / elas	tinham	po**sto** cartas no correio quando ela telefonou.

Marcadores temporais: toda indicação de que se trata de ação anterior a outra no passado (no inglês: had done)

• **Particípio Passado:**

Particípios regulares:
-AR → - ADO (falado, trabalhado, conversado, investigado etc.)
-ER → - IDO (bebido, comido, entendido, esquecido etc.)
-IR → - IDO (assistido, cumprido, partido ouvido, etc.)

Particípios Irregulares:

Infinitivo	Particípio	Infinitivo	Particípio
ganhar	ganho	ver	visto
gastar	gasto	abrir	aberto
pagar	pago	cobrir	coberto
dizer	dito	pôr	posto
fazer	feito	vir	vindo
escrever	escrito		

7h	← 8h →	9h
Ação mais antiga no passado	Ação no Passado	Agora
tinha tomado café da manhã	quando cheguei	Agora estou no
tinha pegado o metrô	ao escritório	escritório
tinha passado pela recepção		

Quando cheguei ao escritório, eu já tinha tomado café da manhã, tinha pegado o metrô e tinha passado pela recepção.

Exercícios

1 Faça frases:

a. Quando você chegou, eu já / ir para cama.
   Quando você chegou, eu já tinha ido para cama.
b. Quando a reunião começou, todos já / chegar.

c. Eu nunca / ver uma pessoa tão inteligente antes.

d. Quando o chefe perguntou sobre a ata, a secretária já / imprimir todas as vias.

e. Eu não quis café porque já / tomar.

f. Ela não aceitou o convite para o teatro, pois já / ver aquela peça.

g. Quando a recepção começou, nem todos / chegar.

h. Nós nunca / escutar uma desculpa tão esfarrapada antes.

2   Siga o exemplo:
    Exemplo: 9h – Ele elaborou a proposta de vendas. 11h – Ele atendeu o cliente.
    Quando ele atendeu o cliente, já tinha elaborado a proposta de vendas.

a. 7h – Os clientes chegaram à empresa. 9h – A reunião começou.

b. 12h – A secretária almoçou. 13h – O chefe dela chegou.

c. 15h – Eu recebi o email do fornecedor. 15h30 – O fornecedor me telefonou.

d. 20h – Nós jantamos. 21h – Nossos amigos chegaram.

e. 15h – Os funcionários fizeram uma pausa para o café. 16h – A chefe chamou na sala dela.

f. 9h – A aula de português começou. 9h10 – O celular do aluno tocou.

g. 18h – Todos saíram do escritório. 19h – O faxineiro começou a limpeza.

h. 21h – O programa de TV favorito dele começou. 21h15 – Ele chegou em casa.

XXII Tempos Compostos do Indicativo (3) — Futuro Composto: TEREI TIDO e Futuro do Pretérito Composto: TERIA TIDO

• **Formação do Futuro Composto:** o verbo TER no Futuro do Presente + Particípio Passado

	TER	Particípio
eu	terei	terminado todo o trabalho até 17h.
você / ele / ela	terá	chegado em casa antes das 20h.
nós	teremos	aberto toda a correspondência até o almoço.
vocês / eles / elas	terão	proposto um novo projeto ao cliente até amanhã.

Este tempo enfatiza a ideia de ação acabada no futuro.

Marcadores temporais: até 20h, antes do fim do dia, até o ano que vem, etc.

Formação do Futuro do Pretérito Composto: o verbo TER no Condicional + Particípio Passado

	TER	Particípio
eu	teria	almoçado mais cedo se soubesse da reunião.

você / ele / ela	teria	esquecido o compromisso se eu não avisasse.
nós	teríamos	aberto uma conta no banco com um CPF.
vocês / eles / elas	teriam	refeito o relatório, com mais tempo.

Enfatiza a ideia de possibilidade de ação acabada.

Marcadores temporais: com mais tempo, com o documento, etc.
Também combina com o Imperfeito do Subjuntivo.

• **Particípio Passado:**

Verbos regulares:
-AR → - ADO (falado, trabalhado, conversado, investigado etc.)
-ER → - IDO (bebido, comido, entendido, esquecido etc.)
-IR → - IDO (assistido, cumprido, partido, ouvido etc.)

Verbos Irregulares:

Infinitivo	Particípio	Infinitivo	Particípio
ganhar	ganho	ver	visto
gastar	gasto	abrir	aberto
pagar	pago	cobrir	coberto
dizer	dito	pôr	posto
fazer	feito	vir	vindo
escrever	escrito		

Exercícios

1 Complete com o Futuro Composto (TEREI TRABALHADO).

a. Até o fim da tarde, eu _____ (terminar) o relatório.
b. Em quinze dias, nós _____ (mudar) para outra sala.

A CONJUGAÇÃO VERBAL

c. Dentro de dois anos, minha filha _____ se _____ (formar-se) na faculdade.
d. Em cinco anos, eu e minha família _____ nos _____ (mudar) para outra cidade.
e. Em dois meses, a empresa _____ (lançar) outro novo produto.
f. Dentro de algumas semanas, eu _____ (fazer) dez anos de empresa.
g. Até lá, meu chefe _____ me _____ (dar) um aumento salarial.
h. Em uma hora, a secretária _____ (pôr) as correspondências no correio.

2 Complete com seus planos para o futuro.

a. Em seis meses, eu _____
b. Em um ano, eu e minha família _____
c. Em dois anos, eu _____
d. Em cinco anos, _____

3 Seu amigo está com problemas no trabalho. Una as colunas para dar-lhe conselhos.
No seu lugar, eu teria conversado mais com clientes e fornecedores.

No seu lugar, eu...

TER
- conversar mais com clientes e fornecedores.
- dizer tudo ao chefe sobre o problema.
- pedir ajuda aos colegas.
- descentralizar as tarefas.
- pôr todos os papéis em ordem.
- manter um arquivo dos processos.
- procurar outra função na empresa.

4 O que você teria feito diferente...

a. seis meses atrás? *Eu teria mudado de emprego*
b. um ano atrás? _____
c. cinco anos atrás? _____
d. no lugar de trabalhar na sua empresa atual? _____

XXIII Imperativo

Formação: a partir do EU no Presente do Indicativo.

eu compro → comprE	eu faço → façA	eu durmo → durmA
compre (você)	faça (você)	durma (você)
compremos (nós)	façamos (nós)	durmamos (nós)
comprem (vocês)	façam (vocês)	durmam (vocês)

Todos os verbos seguem essa conjugação, exceto:

SER → seja	ESTAR → esteja	DAR → dê	IR → vá	QUERER - queira
seja	esteja	dê	vá	queira
sejamos	estejamos	demos	vamos	queiramos
sejam	estejam	deem	vão	queiram

Uso: para ordens, pedidos e sugestões. Modo muito usado na propaganda, nas placas de trânsito, nos manuais de instruções, nas receitas etc.

Exercícios

1 Preencha com os verbos dos parênteses:

a. No trânsito: Nunca _____ o cruzamento. (fechar)
b. Na estrada: Não _____ pelo direita. / Óleo na pista. _____ sempre engrenado. (ultrapassar / dirigir)

c. No manual de instruções: _____ este ferro somente em 110V. / Antes de guardá-lo, _____ toda a água de seu interior. (ligar / retirar)
d. Na receita de bolo: _____ todos os ingredientes na batedeira e _____ em uma forma untada. (bater / pôr)
e. Na propaganda: _____ no Super e _____ uma promoção. (comprar / ganhar)
f. Atrás de um ônibus: _____ distância. (manter) Dentro do ônibus: Não _____ com o motorista. (falar)

2 Dicas contra o estresse:

a. Não se _____ com coisas sem importância. (preocupar)
b. _____ sempre pronto para uma boa conversa com os amigos. (estar)
c. _____ a calma e não _____ a vida tão a sério. (manter/ levar)
d. _____ quinze minutos mais cedo para o trabalho. (sair)
e. _____ mais: você se alegra e alegra os que estão ao seu redor. (sorrir)
f. Sempre _____ um guarda-chuva. (trazer)
g. Não _____ tanto na memória: _____ seus compromissos na agenda. (confiar / anotar)
h. Não _____ para amanhã. _____ hoje. (deixar / fazer)

3 Passe as instruções do Imperativo informal (Presente) para o Formal. Exemplo: Você procura a recepcionista e pergunta onde fica a sala. *Procure a recepcionista e pergunte onde fica a sala.*

a. Na esquina, vocês *viram* à direita e *seguem* em frente até a avenida.
_____

b. *Fala* com o chefe agora e depois me *procura*.
_____

c. *Fecham* a porta e *abrem* a janela, por favor.
_____

d. *Terminamos* o trabalho e depois *voltamos* para casa.

e. *Compramos* a comida e *levamos* tudo para a festa amanhã.

f. Vocês não *têm* pressa e *ficam* esperando na recepção.

xxiv Verbos Reflexivos (LEMBRAR-SE) e Recíprocos (CUMPRIMENTAR-SE)

Quadro de Pronomes Reflexivos

Sujeito	Reflexivo/Recíproco
Eu	me
Você / ele / ela	se
Nós	nos
Vocês / eles / elas	se

Verbos Reflexivos	Verbos Recíprocos
decidir-se por	ajudar-se
dirigir-se a	compreender-se
divertir-se	cumprimentar-se
enganar-se	despedir-se
olhar-se em	encontrar-se
sentar-se em	entender-se
sentir-se	escutar-se
servir-se	falar-se
ver-se	olhar-se
vestir-se/ arrumar-se	telefonar-se
virar-se	ver-se

Exemplos:
Maria *se vestiu* rapidamente, *despediu-se* da família e *dirigiu-se* ao metrô.
Na estação, João viu uma amiga. *Cumprimentaram-se* e tomaram o metrô juntos. Na estação Paraíso, *despediram-se* e *dirigiram-se* cada um para o seu trabalho.

Exercícios

1 Preencha com os verbos entre parênteses:

a. (vestir-se) Ontem à noite, Maria _____ rapidamente e saiu para jantar fora.
b. (enganar-se) Se eu não _____, o escritório fica neste edifício branco.
c. (encontrar-se) Eles _____ no bar depois do trabalho.
d. (dirigir-se) Caixa fechado. Por favor, _____ ao caixa ao lado.
e. (ver-se) Ele _____ como um grande chefe.
f. (ver-se) Nós _____ no cinema mais tarde.
g. (sentar-se) Por favor, _____ e me conte toda a história com calma.
h. (sentir-se/deitar-se) Depois de correr sob o sol do meio-dia, ele não _____ muito bem e foi _____.
i. (conhecer-se) Vocês já _____?
j. (lembrar-se) A secretária sempre _____ de apagar as luzes do escritório antes de sair?
k. (esquecer-se) Eu _____ de trazer o laptop para a empresa hoje.
l. (cumprimentar-se) Eles sempre _____ quando chegam no escritório.
m. (despedir-se) Ela _____ de todos antes de sair.
n. (despedir-se) Eles _____ e foram cada um para sua casa.
o. (servir-se) Prefiro restaurantes onde podemos _____ sozinhos.

p. (virar-se) Quando ela passou, ele nem ▭ para cumprimentá-la.

2 Ligue as palavras das colunas e faça frases.
Exemplo: *Eu me servi porque a copeira não estava na sala.*

Eu	dirigir-se	muito no sábado à noite.
A chefe	cumprimentar-se	ao balcão da companhia aérea.
O diretor	sentar-se	muito bem hoje.
Os clientes e o gerente	sentir-se	por ficar em casa no fim de semana.
Nós	servir-se	porque a copeira não estava na sala.
Vocês	abraçar-se	sempre de manhã.
Os funcionários	decidir-se	no sofá da recepção.
A recepcionista	divertir-se	quando se viram no aeroporto.

xxv   Presente do Subjuntivo

• **Formação: a partir do "eu" do Presente do Indicativo.**

FALAR eu falo - fale
que eu fale
que você fale
que nós falemos
que vocês falem

FAZER eu faço - faça
que eu faça
que você faça
que nós façamos
que vocês façam

OUVIR eu ouço - ouça
que eu ouça
que você ouça
que nós ouçamos
que vocês ouçam

• Conjugação Irregular no Presente do Subjuntivo: sete verbos

SER	ESTAR	DAR	SABER	QUERER	IR	HAVER
seja	esteja	dê	saiba	queira	vá	haja
seja	esteja	dê	saiba	queira	vá	
sejamos	estejamos	demos	saibamos	queiramos	vamos	
sejam	estejam	deem	saibam	queiram	vão	

1 USO 1: com expressões de desejo, dúvida, ordem, sentimento:

Desejo	Dúvida	Sentimento
Quero que	Duvido que	Sinto que
Desejo que	Não acho que	Lamento que
Preciso que	Não penso que	Estou contente que
Prefiro que	Não tenho certeza que	Tenho medo que
Peço que	Não acredito que	Sinto que
Tomara que	Talvez	É pena que

Exemplo: *Tomara* que tudo *esteja* bem com o novo projeto.

2 USO 2: com expressões impessoais:

É necessário que	É indispensável que	É admirável que
É possível que	É melhor que	É surpreendente que
É essencial que	É difícil que	É impossível que
É importante que	É indispensável que	É imprescindível que

Exemplo: *É indispensável* que *estudemos* mais para passar no exame.

3 USO 3: com algumas conjunções:

caso	mesmo que	antes que
sem que	a não ser que / a menos que	para que / a fim de que
até que	contanto que / desde que	por mais que / por menos que

Exemplo: Vou fechar as janelas *caso chova* mais tarde.

Exercícios

1 Conjugue os seguintes verbos no Presente do Subjuntivo:
Que eu fale, que você fale...

falar	fazer	pedir	saber
contar	dizer	dormir	ir
trabalhar	trazer	subir	conseguir
estar	querer	admitir	vir
buscar	ver	haver	consumir
ser	fornecer	dar	pôr

2 Passe as frases para o plural:

a. Espero que ela *venha* hoje. *Esperamos que elas venham hoje.*

b. Preciso que ele *chegue* mais cedo.

c. Não estou certo que a secretária *envie* o email em tempo.

d. O chefe quer que o evento *aconteça* hoje.

e. Tomara que a diretora *chegue* mais tarde.

f. Ela prefere que eu *faça* o trabalho.

g. Espero que você *saiba* o que está fazendo.

h. Prefiro que ela *queira* sair amanhã.

i. Não acho que ele *venha* hoje.

j. Ela não acredita que *chova* hoje.

k. É pena que a criança não *queira* comer.

l. É provável que o diretor *fale* durante o evento.

m. É importante que você *estude* mais.

n. É inegável que ele *seja* o melhor vendedor da empresa.

o. É bom que a moça não se *atrase* para a entrevista.

p. É surpreendente que a venda *seja* tão boa este ano.

q. É fantástico que o funcionário da contabilidade *queira* me ajudar.

3 Escolha a melhor opção de conjunção para cada frase:

a. Trabalhamos muito o ano todo (para que / caso) *possamos* garantir nossa participação nos lucros.

b. As vendas aumentam dia a dia (para que / mesmo que) os preços *aumentem* também.

c. É bom fechar as janelas antes de sair (a fim de que / caso) *chova* muito forte.

d. A moça prestou o exame da OAB (a fim de que / caso) *consiga* seu registro de advogada.

e. Ela vai estudar para o exame (contanto que / a fim de que) *haja* silêncio na casa.

f. (Por mais que / antes que) ele *trabalhe*, não consegue pagar as contas no fim do mês.

g. É melhor irmos para casa (por mais que / antes que) *caia* uma chuva muito forte e não *consigamos* chegar até o metrô.

h. Não entregue o relatório ao chefe (sem que / caso) eu o *tenha* revisado antes.

i. (Por menos que / caso) a diretoria *queira*, vai ter de fazer cortes de pessoal.

j. É melhor ficarmos aqui (antes que / até que) a chuva *pare* um pouco.

k. Ele estuda muito (para que / antes que) *vá* bem nos exames da universidade.

XXVI Imperfeito do Subjuntivo

• **Formação: a partir do "eles" do Pretérito Perfeito do Indicativo.**

FALAR: eles falaram	FAZER: eles fizeram	OUVIR: eles ouviram
se eu falasse	se eu fizesse	se eu ouvisse
se você falasse	se você fizesse	se você ouvisse
se nós falássemos	se nós fizéssemos	se nós ouvíssemos
se vocês falassem	se vocês fizessem	se vocês ouvissem

Obs.: todos os verbos seguem essa regra de conjugação, sem exceções.

1 **USO 1: com expressões que indiquem desejo, dúvida, ordem, sentimento no Pretérito Perfeito (QUIS QUE), no Pretérito Imperfeito (QUERIA QUE) e no condicional (GOSTARIA QUE):**

Desejo	Dúvida	Sentimento
Quis que	Duvidei que	Senti que
Desejei que	(não) Achei que	Lamentei que

Precisei que	(não) Pensei que	Fiquei contente que
Preferi que	(Não) Tive certeza que	Tive medo que
Pedi que	(Não) Acreditei que	Senti que
Insisti que	Talvez	Foi pena que

Exemplos: *Preferi que* ele *viesse*. / *Preferia que* ele *viesse*. / *Preferiria que* ele *viesse*.

2   USO 2: com expressões impessoais no Pretérito Perfeito (FOI necessário que), no Pretérito Imperfeito (ERA necessário que) e no Condicional (SERIA necessário que).

Foi necessário que	Foi indispensável que	Foi admirável que
Foi possível que	Foi melhor que	Foi surpreendente que
Foi essencial que	Foi difícil que	Foi impossível que
Foi importante que	Foi indispensável que	Foi imprescindível que

Exemplos: *Foi essencial que* ela *visse* o relatório. / *Era essencial que* ela *visse* o relatório. / *Seria essencial que* ela *visse* o relatório.

3   USO 3: com algumas conjunções.

caso	mesmo que	antes que
sem que	a não ser que / a menos que	para que / a fim de que
até que	contanto que / desde que	por mais que / por
se		menos que

Exemplos: *Ficaria* na praia com os amigos *mesmo que* já *fosse* tarde. / *Voltou* para casa *antes que começasse* a chover.

Exercícios

1. Conjugue os seguintes verbos no Imperfeito do Subjuntivo:
   Se eu falasse, se você falasse...

falar	fazer	pedir	saber	encontrar
contar	dizer	dormir	ir	fornecer
trabalhar	trazer	subir	caber	dar
estar	escolher	admitir	vir	pôr
buscar	ver	haver	consumir	

2. Substitua as palavras sublinhadas pelas dos parênteses:

   a. Se <u>eu</u> fosse você, <u>eu</u> não faria isso. (eles): *Se eles fossem você, não fariam isso.*

   b. Caso <u>ele</u> viesse aqui, falaríamos com <u>ele</u>. (os clientes)

   c. Eu precisava que <u>você</u> telefonasse para o chefe. (eles)

   d. A diretora queria que <u>nós</u> falássemos na apresentação de vendas. (eu)

   e. Foi essencial que <u>a vendedora</u> falasse com o cliente. (os vendedores)

   f. Era muito importante que <u>você</u> viesse conosco. (a assistente)

   g. Era impossível que <u>todos</u> chegassem em tempo. (eu)

   h. <u>Nós</u> trabalhamos muito a fim de que <u>nós</u> conseguíssemos uma promoção. (ela)

   i. Ela viria a não ser que <u>você</u> não viesse. (os amigos)

   j. Nada seria possível sem que <u>você</u> interviesse no assunto. (o diretor)

A CONJUGAÇÃO VERBAL

3 Passe para o passado:

a. Espero que você goste do novo departamento. *Esperava que...*

b. O chefe quer que todos compareçam à apresentação.

c. Tenho medo que neve no inverno.

d. Talvez nós possamos viajar logo.

e. É imperdoável que ela não venha à festa.

f. É possível que a fábrica feche mais cedo antes do feriado.

g. Trabalho muito a fim de que eu possa sair de férias com a família.

h. Envio este email para que você tenha tempo de providenciar os materiais.

i. Mesmo que faça sol, não vou ao clube.

j. Nós sabemos o que fazer a não ser que as regras mudem.

k. Os funcionários fazem greve porque querem que a empresa ofereça melhores condições de trabalho.

l. Caso todos concordem, podemos ir ao cinema hoje.

m. A secretária tem de sair antes que as luzes se apaguem.

n. Quero que todos saibam o que está acontecendo.

o. Não acho que o trabalho esteja pronto.

p. Espero que você seja feliz em seu novo trabalho.

q. Ela tem medo que o bolo não dê para todos.

r. Lamento que esta atividade acabe.

s. É surpreendente que aquelas malas enormes caibam no carro.

XXVII Futuro do Subjuntivo

• **Formação: a partir do "eles" do Pretérito Perfeito do Indicativo.**

VIRAR: eles vira~~ram~~
quando eu virar
quando você virar
quando nós virarmos
quando eles virarem

TRAZER: eles trouxe~~ram~~
quando eu trouxer
quando você trouxer
quando nós trouxermos
quando eles trouxerem

REUNIR: eles reuni~~ram~~
quando eu reunir
quando você reunir
quando nós reunirmos
quando eles reunirem

Obs.: todos os verbos seguem essa regra de conjugação, sem exceções.

1 **USO 1: sempre indicando noção no futuro, depois das seguintes conjunções:**

Conjunção	Exemplos
Logo que / assim que	Ligarei para você *assim que* puder / *logo que chegar* em casa.
Enquanto	Nada será feito *enquanto* a greve *continuar*.
Quando	Passe no meu escritório *quando* você *tiver* tempo.
Depois que	*Depois que forem* à Europa, meus amigos voltam a trabalhar.
Se	Não sairemos amanhã *se chover* muito.
Sempre que	Venha me visitar *sempre que puder*.
À medida que / À proporção que	*À medida que* eles *trouxerem* os materiais, poderemos retomar a produção.

Como / conforme | Faça a proposta *como for* possível para você.

Obs.: este tempo sempre combina com o futuro simples (farei), com o futuro imediato (vou fazer), com o presente com ideia de futuro (faço) ou com o imperativo (faça!).

2   **USO 2: em orações relativas:**

Aceitaremos | quem aparecer.
aquele que tiver boas qualificações.
todos os que se inscreverem.
o que vocês nos mandarem.
tudo o que vocês quiserem nos dar.
tudo quanto nos enviarem.
qualquer coisa que você nos oferecer.

3   **USO 3: em orações do tipo "Venha quem vier" (não importa quem venha)**

Exemplos:
Seja quem for, não vou atender. (Não importa quem seja, não vou atender)
Doa a quem doer, diremos toda a verdade. (Não importa a quem doa, diremos toda a verdade)
Conte-nos tudo, seja qual for o problema. (Não importa qual é o problema, conte-nos tudo)

Exercícios

1   Conjugue os seguintes verbos no Futuro do Subjuntivo:

trabalhar	fazer	pedir	saber
conversar	dizer	dormir	ir
buscar	trazer	subir	caber
estar	escolher	admitir	vir
procurar	ver	haver	construir
encontrar	fornecer	dar	pôr

2 Faça frases como no exemplo.

a. eles / telefonar / assim que / poder:
   Eles vão telefonar assim que puderem.

b. eu / ouvir música / quando / estar em casa.

c. minha chefe / ligar / quando / o cliente chegar

d. meus colegas / sair / logo que / dar 17 horas.

e. o evento / acontecer / se / nós / ter bons resultados.

f. o fornecedor / trazer as mercadorias / sempre que / as ter disponíveis.

g. a empresa / não demitir / enquanto / ser possível.

h. Nós / entregar os relatórios hoje / se / poder.

i. Eu / colocar suas malas no carro / se / elas / caber.

j. Ela / vir aqui / quando / ser possível.

k. eu / checar meus emails / assim que / dar tempo.

l. nós / receber / quem / querer vir.

m. eles / fazer / tudo o que / o chefe / pedir.

n. a empresa / precisar de / tudo que / eles / poder mandar.

o. eu / encontrar você / onde / você / querer

198 A CONJUGAÇÃO VERBAL

3 Por questão de ênfase, a oração com o Futuro do Subjuntivo pode vir antes: *Assim que puderem, eles vão telefonar.*
Faça a inversão nas frases do exercício 2.

4 Transforme as frases como no exemplo:

a. Não importa o que eles digam, não farei este trabalho. *Digam o que disserem, não farei este trabalho.*

b. Não importa quem seja, não vou atender.

c. Não importa o que haja, ficaremos do seu lado.

d. Não importa o quanto custe, vamos comprar aquela casa com piscina.

e. Não importa quem venha, falarei com todos.

f. Não importa no que dê, ele vai continuar tentando.

g. Não importa o que faça, ela nunca consegue o emprego que deseja.

h. Não importa o quanto chova, o calor nunca diminui neste lugar.

i. Diga-me a verdade, não importa o que seja.

j. Nós encontraremos você, não importa onde você esteja.

XXVIII Conjunções do Subjuntivo

• **Algumas conjunções admitem o Presente ou o Imperfeito do Subjuntivo:**

caso	mesmo que	antes que
sem que	a não ser que / a menos que	para que / a fim de que
até que	contanto que / desde que	por mais que / por menos que
embora	ainda que	

Exemplos:
Vou levar o guarda-chuva *caso* chova. Ontem levei o guarda-chuva *caso* chovesse.
Não saímos daqui *sem que* ele nos receba. Não sairíamos daqui *sem que* ele nos recebesse.
Fazemos bem o trabalho *para que* não precisemos refazê-lo. Fazíamos bem o trabalho *para que* não precisássemos refazê-lo.

• **Outras conjunções admitem somente o Imperfeito ou o Futuro do Subjuntivo:**

logo que / assim que / tão logo	depois que	como / conforme
enquanto	sempre que	se
quando	à medida que / à proporção que	

Exemplos:
João: A secretária entrará *logo que* sairmos.
João disse que a secretária entraria *logo que* saíssemos.

Arlete: Vamos para casa *quando* terminarmos o trabalho.
Arlete disse que iríamos para casa *quando* terminássemos o trabalho.

Exercícios

1 Passe as frases para o passado:

a. Não deixo este emprego sem que receba todos os meus direitos.

b. Trabalhamos muito a fim de que possamos sair de férias este ano.

c. Vou passar no exame, mesmo que tenha de estudar dia e noite.

d. Todos vêm amanhã contanto que não chova.

e. Comprarei um novo carro a não ser que não tenha dinheiro suficiente.

f. Os diretores se reunirão hoje a não ser que não haja uma sala livre.

g. Os fornecedores entregarão tudo no prazo desde que possam receber o pagamento.

h. A reunião começará no horário, embora nem todos tenham chegado.

i. O RH contratará novos funcionários antes que a demanda aumente demais.

j. O mercado de trabalho está cada vez mais exigente, ainda que não haja mão de obra suficiente.

k. Iremos ao seu escritório a menos que você possa vir ao nosso.

l. O Departamento de Compras enviará seu balanço à Contabilidade desde que tenha um prazo mais longo para isso.

m. Por mais que o chefe peça, não conseguiremos entregar o trabalho no prazo.

2 Passe para o passado:

a. Comprarei um apartamento assim que tiver o dinheiro.
   Compraria um apartamento assim que *tivesse* dinheiro.
   MAS: *Comprei* um apartamento assim que *tive* dinheiro.

b. Mudaremos para um novo endereço quando conseguirmos alugar novas salas.

c. Venderemos partes da empresa conforme for necessário.

d. Receberei mais comissão à medida em que vender mais.

e. A diretoria se reunirá tão logo tivermos todos os dados das vendas.

f. Avisarei a secretária se a vir na reunião hoje.

g. Telefone assim que você chegar em casa.

h. Iniciaremos a apresentação logo que todos estiverem em seus lugares.

i. Telefone sempre que precisar de ajuda.

j. Faremos hora-extra enquanto for necessário.

k. A decisão será tomada assim que o gerente tiver analisado a questão.

l. O balancete da empresa será divulgado quando a Contabilidade o tiver liberado.

m. O valor dos imóveis cairão quando houver uma oferta muito maior do que a demanda.

3 Faça frases como as do modelo. Modelo:

| Discutiremos a fundo o novo projeto... | **para que** não haja problemas em sua execução. **embora** já tenhamos todos os seus detalhes. **mesmo que** levemos a noite toda. **depois que** todos estiverem na sala. |

a. Falarei com o diretor...
- a fim de que ___
- ainda que ___
- embora ___
- mesmo que ___

b. Iremos à festa...
- caso ___
- a não ser que ___
- por menos que ___
- ainda que ___

c. Compraremos a casa...
- assim que ___
- quando ___
- se ___
- depois que ___

d. Entregue o relatório ao chefe...
- logo que ___
- enquanto ___
- conforme ___
- à medida que ___

e. Faria o trabalho mais rápido...
- se ___
- a fim de que ___
- conforme ___
- embora ___

XXIX Indicativo vs. Subjuntivo: casos especiais

Algumas construções do Português, quando feitas de forma afirmativa, exigem o Indicativo. Já em sua forma negativa, podem usar o Subjuntivo, dependendo do grau de certeza que o falante deseja transmitir.

Exemplos: Parece que **partiremos** na hora.
Não parece que **partamos** na hora.
Não parece que **partiremos** na hora.

Exercícios

1 Preencha com os verbos:

a. O chefe vem ao escritório no sábado? –Não acho que ele _____.
b. Vai chover hoje? – Acho que _____.
c. Apesar da crise, teremos o bônus no fim do ano? –Não penso que _____.
d. Seus amigos gostavam de praia? –Não acredito que eles _____.
e. Seu marido vai chegar cedo hoje? –Não penso que _____.
f. Ele vem jantar conosco? –Não é certo que _____.
g. Haverá problemas no novo projeto? – É óbvio que não _____.
h. Sua amiga vinha para cá hoje? –Não era certo que ela _____.
i. Acho que a Diretoria se _____ hoje à tarde (reunir).
j. Não acho que ela _____ alguma coisa hoje (ir decidir).
k. Ela pensa que eu _____ receber uma promoção (ir).
l. Não penso que isso _____ ainda este ano (acontecer).
m. Era verdade que eles _____ ir à Europa ainda este ano (querer).
n. Mas não era verdade que eles _____ dinheiro suficiente para a viagem (ter).
o. Eu achava que _____ tempo para sair hoje (ter).
p. Eles não achavam que nós _____ condições para fazer o trabalho (ter).
q. Isso significa que agora nós _____ condições de opinar sobre esse filme (ter).

r. Mas isso não significa que nós _____ dar uma opinião acertada sobre ele (poder).
s. Não acho que eles _____ uma casa (comprar).
t. Não é certo que eles _____ se mudar antes de dezembro (conseguir)

xxx Tempos Compostos do Subjuntivo I: PRESENTE

Referindo-se ao...	Use...
Presente ou Futuro	goste
Presente Contínuo (durante o processo)	esteja gostando
Passado	tenha gostado

Exemplos:

Primeira oração:	Subjuntivo:
Espero que...	...você *goste* do curso. (o curso vai começar)
Queremos que...	
Tomara que...	...você *esteja gostando* do curso. (o curso está acontecendo)
Temo que...	
Talvez...	
	...você *tenha gostado* do curso. (o curso já terminou)
É possível que...	
É provável que...	
É importante que...	

• **Com conjunções:**

Fazemos o máximo **para que** você goste do curso. (Futuro)
Recomende nosso curso aos amigos **caso** você esteja gostando dele. (Neste momento)
Recomende nosso curso aos amigos **contanto que** você tenha gostado dele. (O curso terminou)

Tempos Compostos do Subjuntivo I: PRESENTE

- **Conjunções que exigem o Subjuntivo:** para que / a fim de que; caso; contanto que / desde que; a menos que / a não ser que; mesmo que / ainda que; nem que; por mais que; embora.

Exercícios

1 Dê o gerúndio e depois o particípio passado dos verbos abaixo:

a. gostar — *gostando/gostado*
b. contar
c. falar
d. comer
e. entender
f. trazer
g. dar
h. partir
i. investir
j. dividir

2 Dê o infinitivo e o gerúndio dos particípios irregulares:

Infinitivo	Gerúndio	Particípio	Infinitivo	Gerúndio	Particípio
ganhar	*ganhando*	ganho			visto
		gasto			aberto
		pago			coberto
		dito			posto
		feito			vindo
		escrito			

3 Use os verbos dos parênteses nos tempos simples ou composto correto (*goste / esteja gostando / tenha gostado*) de acordo com o contexto:

a. Há uma novela ótima às 8h da noite. É pena que você não a _____ (ver).
b. Eu preciso que a secretária me _____ (trazer) os relatórios agora.
c. O fornecedor trará a mercadoria hoje para que nós _____ (poder) fazer as entregas ainda esta semana.
d. Espero que a essa hora o chefe já _____ (receber) a remessa.

A CONJUGAÇÃO VERBAL

e. Tomara que o diretor _____ (dizer) tudo o que precisava dizer na reunião.
f. Talvez ela _____ (participar) de uma reunião, por isso não está na mesa dela agora.
g. Vou emprestar o carro da companhia contanto que nenhum gerente o _____ (usar) no momento.
h. Esperamos que o analista _____ (escrever) o relatório final ontem.
i. Convém que todos _____ (participar) da reunião com o cliente para que _____ (responder) às suas perguntas.
j. Basta que você _____ (ir) até o RH e que _____ (solicitar) a sua via do manual do plano de saúde.
k. O chefe quer que os funcionários _____ (chegar) sempre no horário e que _____ (sair) no horário também.
l. Talvez ela não _____ (terminar) o projeto ainda.

XXXI Tempos Compostos do Subjuntivo (2): IMPERFEITO

Referindo-se ao...
Passado, Presente ou Futuro
Passado Contínuo
Passado (hipótese irrealizável)

Use...
gostasse
estivesse gostando
tivesse gostado

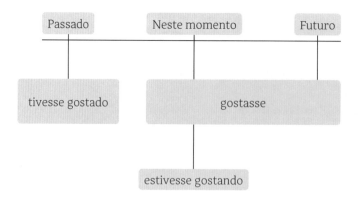

Exemplos:

Primeira oração:	Subjuntivo:
Esperava que...	... você *viesse* à reunião de hoje de manhã. (você não veio)
Queríamos que...	
Esperei que...	
Temia que...	...você *gostasse* da nova secretária. (você não gosta da nova secretária)
Gostaria que...	
Talvez...	
	... você *fosse* ao congresso mês que vem. (você não vai)
Era possível que...	
Era provável que...	
Era importante que...	...você *estivesse gostando* do novo projeto. (você não está gostando dele)
Foi muito bom que...	
Seria interessante que...	
	...você *tivesse gostado* de trabalhar aqui. (você não gostou de trabalhar aqui)

• **Com conjunções:**

Fizemos o máximo **para que** você *viesse* ao curso. (Você não vem ao curso)
Recomendaria o curso aos amigos **caso** eu *estivesse gostando* dele. (Não estou gostando do curso)
Teria recomendado o curso aos amigos **contanto que** eu *tivesse gostado* dele. (Não gostei do curso)

• **Conjunções que exigem o Subjuntivo:** para que / a fim de que; caso; contanto que / desde que; se; a menos que / a não ser que; mesmo que / ainda que; nem que; por mais que; embora.

Exercícios

Use os verbos dos parênteses nos tempos simples ou composto (*gostasse / estivesse gostando / tivesse gostado*) de acordo com o contexto. Mais de uma resposta é possível.

1| Esperava que você _____ (vir) ao almoço. Por que você não veio?
2| Talvez eles não _____ (faltar) à reunião de ontem se você os _____ (avisar) sobre ela.
3| O que você faria se você _____ (ganhar) na loteria?
4| Se eu _____ (ser) você, não contaria com essa hipótese.
5| Se _____ (dar) tudo certo, o chefe não estaria com aquela cara horrível.
6| Era muito importante que os vendedores _____ (entregar) os relatórios de vendas em tempo para a reunião de amanhã.
7| Queria que não _____ (chover) ontem: a festa foi um fiasco por causa da chuva.
8| Bastou que o cliente _____ (fazer) uma simples ligação para fecharmos o negócio.
9| Eu precisava que você _____ (vir) ao departamento. Você pode?
10| O chefe precisava que você _____ (trabalhar) no relatório agora.
11| As contas teriam fechado se nós não _____ (gastar) tanto este mês.
12| Se ele _____ (falar) alemão, seria o novo chefe agora.
13| Se a secretária não _____ (almoçar) neste momento, poderia atendê-lo.
14| Precisamos almoçar mais cedo a fim de que _____ (poder) participar da reunião no início da tarde.
15| Ela teria ido ao dentista contanto que _____ (marcar) hora com antecedência.
16| Esperava que todos _____ (estar) aqui hoje para a reunião mensal com as chefias.

17| Seria necessário que _____ (chover) três dias sem parar para que nós não _____ (perder) a plantação toda.
18| Caso ela _____ (preparar-se) melhor para o exame, teria passado com certeza.
19| Era indispensável que o mercado _____ (melhorar) para que nós _____ (ter) um resultado de vendas melhor.
20| Era impossível que ela _____ (terminar) todos os emails ontem à tarde.
21| Você teria conseguido o aumento se o _____ (pedir) ao chefe.
22| Seria necessário que a nova gerente _____ (participar) deste novo projeto para que ela se _____ (inteirar) melhor de tudo.

xxxii Tempos Compostos do Subjuntivo (3): FUTURO

Referindo-se ...
ao futuro
a uma ação em processo no futuro
a uma ação acabada no futuro

Use...
fizer
estiver fazendo / for fazendo
tiver feito

Exemplos:

Vou telefonar... | quando eu *chegar* em casa.
Tire suas dúvidas no Google... | enquanto *estiver estudando* para o exame.
Avise-me... | logo que *tiver terminado* o relatório.
Colocarei mais tinta na impressora...

Comprarei mais cartuchos de tinta *à medida que for* necessário.

A CONJUGAÇÃO VERBAL

Telefone...
Peça para Carlos telefonar...
Envie notícias...
Solicite mais panfletos...
Compre mais papel...

assim que *tiver* uma resposta.
à medida que ela *for acabando*.
depois que ele *tiver chegado*.
sempre que *for* possível.
conforme os *for distribuindo* aos clientes.
se o do escritório *tiver* acabado.

Exercícios

Use os verbos entre parêntese conforme o contexto (fizer / estiver fazendo / for fazendo / tiver feito). Mais de uma opção é possível.

1| (chegar) Quando nós _____ ao escritório, faremos uma reunião.
2| (entrevistar) Assim que você _____ os candidatos, conversaremos.
3| (fazer) Preciso falar com o novo gerente depois que ele _____ o relatório de vendas.
4| (trazer) Tomaremos providências à medida que você nos _____ mais novidades sobre o caso.
5| (querer) Podemos conversar quando os clientes _____.
6| (terminar) Conforme você _____ de emitir as faturas, envie-as para o departamento de vendas.
7| (dar) Venha ao meu escritório logo que _____. Precisamos conversar.
8| (sair) Avise-me quando vocês _____ para o almoço.
9| (dizer) Conversaremos com os fornecedores se o chefe _____ que é necessário.
10| (escrever) Enquanto a secretária _____ a ata de reuniões, ela lhe perguntará se ainda há algo importante a ser incluído nela.
11| (adquirir) Montaremos os carros assim que o departamento de compras _____ as peças faltantes.
12| (haver) A linha de montagem terá de parar sempre que _____ falta de energia elétrica.

13| (montar) Enquanto os operários _____ os produtos, o supervisor deverá checar o trabalho deles.
14| (trazer) Iniciaremos a reunião assim que meu assistente _____ todos os documentos necessários.
15| (ser) À medida que as cartas aos fornecedores _____ postas no correio, escreveremos outras para os clientes.
16| (ficar) Se o novo projeto _____ pronto em tempo, poderemos colocá-lo em andamento ainda este mês.
17| (escrever) Fale comigo logo depois que você _____ todos os emails de hoje.
18| (vir) Quando nós _____ ao escritório amanhã, vamos atender a este cliente.
19| (ser) O que você fará quando _____ o novo diretor?
20| (implementar) Esperamos que as vendas aumentem assim que _____ as novas ações.
21| (fazer) Sempre teremos problemas de logística enquanto o governo não _____ as melhorias necessárias nas estradas.
22| (ver) Por favor, venha até minha sala sempre que _____ todos os relatórios antes.

xxxIII Orações Condicionais 1, 2 e 3

- **Orações Condicionais 1: probabilidade maior**

Se ela vier, (Futuro do Subjuntivo)	**vai participar** da reunião. **participará** da reunião. **participa** da reunião. **chame-a** para participar da reunião.	(coloquial) (formal) (coloquial) (formal)

- **Orações Condicionais 2: probabilidade menor**

Se ela **viesse**, (Imperfeito do Subjuntivo)	**Iria participar** da reunião. **ia participar** da reunião. **participaria** da reunião. **participava** da reunião.	(formal) (coloquial) (formal) (coloquial)

• **Orações Condicionais 3: hipótese irrealizável**

| **Se** ela **tivesse vindo**, (Mais-que-Perfeito Subjuntivo) | **teria participado** da reunião.
 tinha participado da reunião. | (formal)
 (coloquial) |

Exercícios

Transforme as frases como no exemplo. Mais de uma resposta é possível:

1| Se ela tiver tempo, irá ao jantar amanhã. (ontem)
Se ela tivesse tido tempo, ela teria ido ao jantar ontem.

2| Se nós pudéssemos, iríamos à praia. (fim de semana passado)

3| Se o chefe vier hoje, falaremos sobre o problema. (ontem)

4| Nós iremos à reunião se tivermos tempo. (esta manhã)

5| Eles terminariam o relatório se conseguissem os dados. (semana passada)

6| Se tivermos verba suficiente, faremos a festa de fim de ano. (ano passado)

7| Os clientes usarão a sala de reuniões se ela estiver vazia. (ontem à tarde)

8| Os fornecedores entregariam as mercadorias hoje se pudessem. (mês passado)

9| A gerente iria à reunião se recebesse todas as planilhas em tempo. (amanhã de manhã)

10| Nós iríamos à Europa se tivéssemos dinheiro. (ano que vem)

11| Eles teriam feito o relatório se tivessem dedicado mais tempo para isso. (amanhã)

12| Conversaremos com os funcionários se o chefe nos pedir. (agora)

13| Se os vendedores vierem em tempo, poderão participar do evento (ontem)

14| Falarei durante a reunião se meu chefe pedir. (agora)

xxxiv Voz Passiva (1): verbo auxiliar SER

- **Formação: SER em todos os tempos verbais + particípio passado do verbo principal.**

Voz Ativa	Voz Passiva
O chefe *esclarece* as regras.	As regras *são esclarecidas* pelo chefe.
O chefe *esclareceu* as regras.	As regras *foram esclarecidas* pelo chefe.
O chefe *esclarecia* as regras.	As regras *eram esclarecidas* pelo chefe.
O chefe *vai esclarecer* as regras.	As regras *vão ser esclarecidas* pelo chefe.
O chefe *esclarecerá* as regras.	As regras *serão esclarecidas* pelo chefe.
O chefe *esclareceria* as regras.	As regras *seriam esclarecidas* pelo chefe.
O chefe *está esclarecendo* as regras.	As regras *estão sendo esclarecidas* pelo chefe.

O chefe *estava esclarecendo* as regras.	As regras *estavam sendo esclarecidas* pelo chefe.
O chefe *tem esclarecido* as regras.	As regras *têm sido esclarecidas* pelo chefe.
O chefe *tinha esclarecido* as regras.	As regras *tinham sido esclarecidas* pelo chefe.
Eu prefiro que o chefe *esclareça* as regras.	Eu prefiro que as regras *sejam esclarecidas* pelo chefe.
Eu preferi que o chefe *esclarecesse* as regras.	Eu preferi que as regras *fossem esclarecidas* pelo chefe.
Tudo ficará claro quando o chefe *esclarecer* as regras.	Tudo ficará claro quando as regras *forem esclarecidas* pelo chefe.
Tudo ficará claro quando o chefe *tiver esclarecido* as regras.	Tudo ficará claro quando as regras *tiverem sido esclarecidas* pelo chefe.

Obs.: Consulte os particípios regulares e irregulares na unidade XXXVI.

• **Voz Passiva 2: Voz Passiva Pronominal (com "se")**

Use o verbo na terceira pessoa do singular ou do plural, sempre concordando com o sujeito.

Exemplos:
Alugam-se salas comerciais. (Salas comerciais são alugadas)
Vendem-se automóveis. (Automóveis são vendidos)
Vende-se casa. (Casa é vendida)

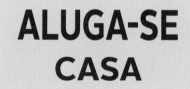

Consertam-se aparelhos eletrônicos. (Aparelhos eletrônicos são consertados)

Obs.: quando o verbo pede preposição, ele deve permanecer no singular na voz passiva.

Exemplos:
Precisa-se **de** vendedores.
Aqui se obedece **às** regras.

Exercícios

1 Passe para a voz passiva:

a. A enfermeira assiste os pacientes.
   Os pacientes são assistidos pela enfermeira.

b. O vendedor elabora o relatório.

c. A secretária envia os emails.

d. O diretor fez a apresentação.

e. A moça tinha feito a limpeza.

f. A diretora dava uma entrevista.

g. Preciso que vocês entendam a situação.

h. Não gostaria que eles comentassem o assunto.

i. O departamento compraria os materiais.

j. O Estado ajuda as ONGs.

k. O BNDES financiou esta obra.

216 A CONJUGAÇÃO VERBAL

l. Os funcionários tinham discutido a proposta.

m. Na hora certa, ele dirá toda a verdade.

n. Assinaremos o contrato quando tivermos discutido todas as suas cláusulas.

2 Use a Voz Passiva Pronominal

a. Os criminosos foram presos.
   Prenderam-se os criminosos.

b. Os novos funcionários foram contratados.

c. O teste foi anulado.

d. A reunião foi cancelada.

e. Casas são vendidas.

f. Apartamentos são alugados.

g. O cachorros foram alimentados.

h. Os mesmos critérios foram seguidos.

i. Os integrantes do sindicato foram reunidos.

j. As entrevistas foram feitas.

k. As peças foram compradas.

l. A peça foi comprada.

m. Os homens foram vistos no morro.

n. A secretária foi demitida.

o. Este assunto foi discutido na reunião.

xxxv Voz Passiva (3): ESTAR

O verbo ESTAR é usado na voz passiva para indicar estado temporário ou mudança de estado, como FICAR.

Obs.: Consulte os particípios regulares e irregulares na unidade XXXVI.

Exemplos:
Ela *está decidida* a mudar de emprego ainda este ano.
A pousada *está cheia* de turistas. Ela sempre *fica cheia* nos feriados.
O criminoso *está morto*.
O chefe *está* muito *estressado* hoje.

Exercícios

Use SER ou ESTAR com o Particípio Passado, de acordo com o sentido.

1| Os turistas americanos _____ (hospedar – presente) no hotel Meliá.
2| Este tema _____ (discutir – passado) durante a reunião.
3| O rapaz _____ (decidir – presente) a mudar de país.
4| O processo de vendas _____ (incluir – passado) no meu relatório.
5| Os funcionários _____ (preocupar – presente) em perder seus empregos.
6| Esta pergunta já _____ (fazer – passado) à diretoria.
7| Esta cidade _____ muito _____ (desenvolver – presente) agora.

8) Meu carro _____ (quebrar – presente).
9) O livro _____ (entregar – passado) pelo correio.
10) O projeto _____ (iniciar – passado) mês passado.
11) Ela _____ (considerar – presente) uma excelente funcionária.
12) O Brasil _____ (considerar – presente) um ótimo país para se viver.
13) As luzes _____ (acender – presente) pela secretária logo de manhã. Às 9h todas as luzes já _____ (acender – presente).
14) Dormi até mais tarde porque _____ (cansar – passado).
15) Todos os relatórios já _____ (escrever – presente).
16) Este livro _____ (escrever) por Clarice Lispector.
17) Os catálogos _____ (enviar – passado) ontem.
18) Muitos emails _____ (receber – presente) todos os dias.
19) Quando entrei na casa, todas as luzes _____ (apagar – passado).
20) Meus filhos já _____ (crescer – presente).

XXXVI Verbos com dois Particípios: ACEITADO, ACEITO

Regra: usa-se o particípio regular destes verbos (aceitado) com os auxiliares TER e HAVER na Voz Ativa. Usa-se o irregular (aceito) com os auxiliares SER e ESTAR na Voz Passiva.

Infinitivo	Particípio Regular	Particípio Irregular
aceitar	aceitado	aceito
acender	acendido	aceso
anexar	anexado	anexo
encher	enchido	cheio
entregar	entregado	entregue
enxugar	enxugado	enxuto
expulsar	expulsado	expulso
ganhar	ganhado	ganho
imprimir	imprimido	impresso
limpar	limpado	limpo
matar	matado	morto

morrer	morrido	morto
pegar	pegado	pego
prender	prendido	preso
soltar	soltado	solto

Exemplo:
A polícia *tinha prendido* o bandido. Quando chegamos à delegacia, ele já *estava preso*.

Alguns verbos têm Particípio Irregular somente:

Infinitivo	Particípio	infinitivo	Particípio
abrir	aberto	gastar	gasto
cobrir	coberto	pagar	pago
dizer	dito	pôr	posto
escrever	escrito	ver	visto
fazer	feito	vir	vindo

Exemplo: A secretária *havia escrito* a carta de demissão. A carta já *está escrita*.

Obs.: os demais verbos têm particípio regular, como falado (falar), comprado (comprar), estado (estar), sido (ser), bebido (beber), lido (ler), assistido (assistir), ido (ir).

Exercícios

1 Conjugue os verbos com auxiliar e o Particípio mais adequados. Algumas vezes, mais de uma forma é possível.

a. A proposta _____ pelo cliente. (aceitar – passado)
b. Quando iniciamos as negociações, o cliente já _____ (aceitar – passado) a proposta.
c. As pizzas _____ (entregar - passado). Podemos comer!
d. O motoqueiro já _____ (entregar - passado) as pizzas quando cheguei.

e. O jogador da seleção _____ (expulsar – passado) por causa daquela falta.
f. Este árbitro _____ (expulsar) muitos jogadores ultimamente.
g. Quando chegamos, o escritório já _____ (limpar – passado).
h. A faxineira não _____ (limpar) muito bem minha casa ultimamente.
i. O segurança _____ (acender) as luzes todas as manhãs ultimamente.
j. Sempre que chego ao escritório, as luzes já _____ (acender – presente).
k. A garrafa de vinho ainda _____ (encher – presente). Vamos beber?
l. Eu _____ (encher – passado) minha xícara de café inúmeras vezes.
m. Quando chegamos ao local do acidente, a vítima ainda não _____ (morrer – passado).
n. O passado _____ (morrer – presente). É melhor viver no presente.
o. A Polícia Federal _____ (prender) vários políticos corruptos ultimamente.
p. O criminoso _____ (prender – passado) quando saía da agência bancária.
q. Todos os catálogos _____ (imprimir – passado) mês passado.
r. A secretária já _____ (imprimir – passado) o comunicado quando telefonei.

2 Preencha com o auxiliar correto mais o Particípio Passado irregular.

a. Quando cheguei à agência bancária, ela já _____ (abrir – passado)
b. Eu _____ (gastar) muito dinheiro nos últimos anos.
c. Todas as propostas já _____ e _____ (escrever, entregar – passado).
d. Os anúncios já _____ (pôr – passado) no jornal de hoje.

e. O chefe _____ (pôr) muito defeito no seu trabalho ultimamente?
f. O crime _____ (descobrir – passado) pelo detetive em pouco tempo.
g. Vocês _____ (ver) os amigos ultimamente?
h. Eu nunca _____ (vir – passado) ao Brasil antes.
i. Eles _____ (escrever) todos os relatórios em dia.
j. O chefe percebeu que ela não _____ (dizer – passado) toda a verdade.

XXXVII Discurso Indireto

• Reprodução Posterior

Discurso Direto	Discurso Indireto
Afirmações – Eu *estou* em São Paulo a trabalho. *Cheguei* aqui ontem à noite. *Voltarei* para casa amanhã.	Ela *disse* que *estava* em São Paulo a trabalho e que *tinha chegado* no dia anterior. *Disse* que *voltaria* para casa no dia seguinte.
Perguntas – Onde *fica* o MASP? Você *tem* um mapa?	Ele *perguntou* onde *ficava* o MASP e se eu *tinha* um mapa.
Ordens/ Pedidos – Não *fale* com o cliente antes que você fale comigo.	Ele *mandou/pediu* que eu não *falasse* com o cliente antes que *falasse* com ele.

A CONJUGAÇÃO VERBAL

- **Correlação de marcadores de tempo:**

Discurso Direto		Discurso Indireto
este	→	aquele
aqui	→	lá
agora	→	naquele momento
hoje	→	naquele dia
ontem	→	no dia anterior
amanhã	→	no dia seguinte

Eles disseram que iam passar as férias na praia.

- **Correlação de tempos verbais:**

Discurso Direto	Discurso Indireto
Presente do Indicativo ou Subjuntivo ou Imperativo	Imperfeito do Indicativo ou Imperfeito do Subjuntivo
Perfeito do Indicativo ou Subjuntivo	Mais-Que-Perfeito do Indicativo ou Subjuntivo
Futuro do Presente	Futuro do Pretérito (Condicional) ou Imperfeito do Indicativo
Futuro do Subjuntivo	Imperfeito do Subjuntivo

Obs.: A Reprodução Imediata também é possível. Nela se mantêm os mesmos tempos verbais.

Exemplo:
– Hoje vamos ter uma reunião importante à tarde.
Reprodução Imediata: *Ele disse que hoje eles vão ter uma reunião importante à tarde.*

Exercícios

1 Passe as frases abaixo para o Discurso Indireto:

a. – A nova diretora chegará hoje à empresa, diz o gerente.

b. – Preciso falar com o departamento de pós-vendas, disse o cliente.

c. – Espero que vocês gostem do curso de hoje, comentou o ministrante do curso.

d. – Posso limpar as mesas agora?, perguntou a faxineira.

e. – Faremos uma declaração à imprensa esta tarde, afirmou o gerente de marketing.

f. – É possível que tenhamos problemas na entrega, informou o fornecedor.

g. – Venha rápido para que possamos iniciar a reunião, pediu a chefe.

2 Siga o exemplo:
– Espere um pouco, disse o gerente.
O gerente disse para esperarmos um pouco.
O gerente disse que esperássemos um pouco.

a. – Aguarde aqui, por favor!, pediu a recepcionista.

b. – Esteja no aeroporto duas horas antes do voo!, recomendou o agente de viagens.

c. – Veja como ficou lindo o showroom da empresa!, disse o vendedor.

d. – Eu preciso do produto ainda hoje!, disse o cliente zangado.

e. A secretária disse para a chefe: – Atenda a linha B, por favor. É o diretor de vendas.

xxxviii Infinitivo Pessoal (flexionado)

É formado a partir do infinitivo impessoal:

	- AR	- ER	- IR
eu	buscar	trazer	subir
você	buscar	trazer	subir
nós	buscar**mos**	trazer**mos**	subir**mos**
vocês	buscar**em**	trazer**em**	subir**em**

Geralmente acontece depois das conjunções *para, a fim de, antes de, sem, por*, ou como sujeito de expressões como: *é essencial, é importante, é interessante*, etc.

• **Uso facultativo: quando o sujeito do infinitivo pessoal não é expresso e é o mesmo da oração principal.**

Exemplos:

Por estar no Rio, foram ao Pão de Açúcar.
Por estarem no Rio, foram ao Pão de Açúcar.

Fomos a São Paulo a fim de negociarmos um novo acordo.
Fomos a São Paulo a fim de negociar um novo acordo.

• **Uso obrigatório: com sujeitos diferentes nas duas orações; com sujeito do infinitivo expresso, mesmo que seja igual ao da oração sem infinitivo.**

Exemplos:

O chefe pediu para **(nós)** atendermos o cliente.
(Nós) Trouxemos os documentos a fim de elas fazerem os registros.

Por **nós** gostarmos de economia, assinamos esta revista.
Ela telefonou para o cliente sem os **vendedores** saberem.

Exercícios

1 Uso facultativo (sujeitos iguais, não expressos)

a. (fechar) Precisamos levar o contrato para _____ a venda com o cliente.
b. (fornecer) Esta empresa tem de cumprir as especificações para _____ a matéria-prima solicitada.
c. (suprir) Estamos preparados para _____ as demandas do mercado.
d. (aumentar) Sem _____ os preços, os lojistas não poderão repor seus estoques.
e. (ter) Os candidatos ao cargo passarão por uma entrevista a fim de _____ testadas as suas capacidades de persuasão.

2 Uso obrigatório (sujeitos diferentes; sujeitos iguais mas expressos no infinitivo)

a. (voltar/perder) É melhor os funcionários _____ da greve para não _____ o emprego.

b. (ter/conseguir) Basta eles _____ um diploma de uma boa universidade para _____ boas oportunidades de trabalho.
c. (investir/melhorar) É suficiente os governos _____ seriamente na formação e no plano de carreira dos professores para o sistema de ensino brasileiro _____ no longo prazo.
d. (melhorar) A sociedade precisa investir mais em educação e saúde para seus cidadãos _____ sua qualidade de vida.

3 Transforme as orações como no exemplo.
Ela enviou o email para os funcionários lerem.
Ela enviou o email para que os funcionários lessem.

Vim hoje por ter de falar com o chefe.
Vim hoje porque tinha de falar com o chefe.

a. É essencial conseguirmos uma solução para este problema ainda hoje.
_____
b. A fábrica tem três turnos por precisar produzir o triplo.
_____
c. Os fornecedores vieram sem nos avisar.
_____
d. Basta levarmos em conta a importância inegável de um bom treinamento.
_____
e. Esta ata é para a secretária digitar.
_____

RESPOSTAS DOS EXERCÍCIOS

As palavras
UNIDADE I: NÚMEROS

Exercício 1
a. um livro
b. uma pessoa
c. duas pessoas
d. cinco árvores
e. quinze cidades
f. vinte e sete carros
g. trinta e cinco automóveis
h. cinquenta prédios
i. setenta aulas
j. oitenta e cinco professores
k. noventa e nove páginas
l. cem crianças
m. cento e duas vezes
n. cento e cinquenta quilômetros
o. duzentos parques
p. duzentas e duas mulheres
q. quinhentos homens
r. quinhentas e uma meninas
s. oitocentas e sete ruas
t. mil e novecentas cidades
u. duas mil árvores
v. um milhão de vítimas
w. três milhões de pessoas

Exercício 2
b. vinte e cinco de janeiro de dois mil e dois
c. sete de setembro de mil oitocentos e vinte e dois
d. primeiro de maio de dois mil e treze
e. quinze de novembro de mil oitocentos e oitenta e nove
f. trinta e um de março de mil novecentos e sessenta e quatro
g. vinte e cinco de dezembro de dois mil e sete
h. primeiro de janeiro de dois mil e quinze
i. doze de junho de mil novecentos e sessenta e seis
j. vinte e quatro de abril de mil novecentos e setenta e oito
k. vinte de novembro de dois mil um
l. doze de outubro de mil novecentos e oitenta

Exercício 3
a. primeiro ano
b. segunda vez
c. quinta Avenida
d. sexta-feira
e. décimo andar
f. décima primeira volta
g. vigésimo terceiro Distrito Policial
h. trigésima quinta Delegacia de Ensino
i. quinquagésimo aniversário
j. sexagésima quinta competição
k. septuagésimo terceiro andar
l. octogésimo pacote
m. nonagésima rodada
n. centésima décima jogada
o. milésima vez
p. quadragésimo quinto round

Exercício 4
a. um quarto da população
b. dois terços dos lucros
c. cinco oitavos das vendas
d. metade das pessoas
e. dois quinze avos dos problemas
f. Papa Paulo sexto
g. Papa João Paulo primeiro
h. segunda Guerra Mundial
i. Papa Pio doze
j. Avenida Quinze de Novembro

Exercício 5
b. quinze centavos
c. cinquenta e cinco reais
d. cento e cinquenta reais
e. quinhentos e cinquenta reais, quinze centavos
f. novecentos e dezessete reais, setenta centavos
g. mil trezentos e trinta reais, treze centavos
h. cinco mil, seiscentos e vinte reais, doze centavos.

UNIDADE II

Exercício 1
b. dos
c. do, no
d. na, no
e. da
f. da
g. do
h. das
i. no
j. no
k. na
l. do
m. do, na
n. na, do
o. na
p. na
q. no
r. na, do
s. na

Exercício 2
a mesa do diretor
a saída do prédio
a janela da sala
o elevador do prédio
a mesa da secretária, etc.

UNIDADE III
2. destes
3. deste
4. disto
5. nisso
6. nesta
7. daqui
8. daqui
9. deste, dele
10. disso
11. daqui
12. daqui
13. neste
14. dela
15. disso
16. disso
17. deste
18. neste
19. nesta
20. naquele
21. dele
22. dela, nela
23. desta
24. dele
25. naquela

UNIDADE IV
1. por, pelos, pela
2. pela, pelo, pelo
3. por, pela
4. por, pela, por
5. pela, por
6. pela, pela, pela, por
7. pela, por
8. pelas, por
9. pelo, por
10. por, pela

UNIDADE V
1. Por, para
2. Para, pela
3. Pela, por
4. Para, por
5. Para, por
6. Para, para, pelo
7. Para, pelo, para
8. Por, por, para
9. Por, por, para
10. Pelo, para, para

UNIDADE VI

Exercício 1
a. Ele tem muito tempo.
b. Nós não somos muito ricos.
c. Eles não se esforçam muito.
d. A recepcionista está muito gorda.
e. Eles vão muito ao cinema.
f. Ela fala muito.
g. Ela fala muito bem inglês.
h. O chefe nos ajudou muito.
i. Eles compraram muitas roupas
j. A chefe está muito contente.
k. Não estou muito feliz.
l. João tem muito dinheiro.
m. Ele tem muitos cartões de crédito.
n. Os adolescentes são muito preguiçosos.
o. Estudamos muito para a prova.
p. Ela não é muito inteligente.
q. Tudo foi muito rápido.
r. A Torre Eiffel é muito alta.
s. Não fale muito alto.
t. A sala é muito grande.
u. Eles são muitos.
v. Temos muitas cadeiras aqui.

Exercício 2
a. Há poucos móveis no apartamento.
b. Ela fala um pouco baixo.
c. O funcionário se esforça pouco.
d. Nós somos pouco fortes.
e. Temos poucas coisas para conversar.
f. Esta rua é pouco tranquila.
g. As modelos são pouco magras.
h. A vida é um pouco corrida aqui.
i. Você não tem poucas perguntas, mas tem poucas respostas.
j. O trânsito está um pouco ruim hoje.
k. Trabalha-se pouco aqui.
l. Ela veio aqui poucas vezes.
m. Tudo está um pouco mais claro agora.
n. Ela vem pouco aqui.
o. Você quer o café com pouco açúcar?
p. Há poucos móveis no apartamento.
q. Meu amigo vai pouco ao cinema.
r. Ela compra poucas coisas no supermercado.

Exercício 3
a. Você é doida demais.
b. Ele trabalha demais no projeto.
c. O chefe é cuidadoso demais.
d. O professor fala bem demais o inglês.
e. Há gente demais nesta cidade.
f. Há carros demais nas ruas.
g. O Japão é longe demais.
h. Ela dorme demais.
i. Os jovens comem bobagens demais.
j. Ele fala bobagens demais.

k. Já temos problemas demais.

UNIDADE VII
1. tudo, toda, toda, cada
2. cada, tudo
3. todos, cada
4. cada
5. todos, cada
6. cada
7. cada
8. todos, cada
9. cada
10. todo, toda
11. todas
12. toda
13. todas
14. cada
15. cada, toda
16. cada, toda, todo
17. cada
18. todos, cada
19. toda, cada

UNIDADE VIII

Exercício 1
a. nenhum
b. nada
c. nada
d. ninguém
e. ninguém
f. nenhuma
g. nada
h. nada
i. ninguém.
j. ninguém
k. nada

Exercício 2
a. alguém, ninguém
b. nada
c. alguns
d. algo/alguma coisa, nada
e. alguns
f. algum, nenhum
g. nada
h. alguma, nenhuma
i. ninguém
j. algumas
k. alguns
l. algo/alguma coisa

UNIDADE IX

Exercício 1
a. tantos
b. tanto
c. tantos
d. tantas
e. tantos
f. tanta

Exercício 2
a. João tem mais problemas do que eu.
b. O chefe tem menos tempo do que nós.
c. Os EUA são maiores do que o Brasil.
d. O Brasil é menor do que a China.
e. Foz do Iguaçu é mais bonito do que São Paulo.
f. A chefe tem tanto trabalho quanto eu.
g. A chefe é tão ocupada quanto eu.

UNIDADE X

Exercício 1
b. Nós vamos tão devagar.
c. A moça fala tão rápido.
d. As pessoas trabalham tanto nesta cidade.
e. Ela fala tanto.
f. Esta fachada ficou tão bonita.
g. Nós caminhamos tanto no parque.
h. Eles falam tão alto.
i. Gostamos tanto de você.
j. Preciso tanto descansar.
k. A cidade é tão grande.
l. O rio está tão poluído.
m. O sapato me aperta tanto os pés.
n. Ela escreve tantos emails.
o. Nós compramos tantas frutas.
p. As frutas estão tão baratas.

Exercício 2
a. Andei tanto que meus pés estão doendo.
b. Trabalho tanto que não tenho tempo para os amigos.
c. Ela é tão linda que todos olham quando ela passa.
d. O sol brilha tanto que preciso usar óculos escuros.
e. Hoje está tão quente que o ar-condicionado não é suficiente.
f. O projeto é tão simples que ficou pronto em uma semana.
g. A ideia é tão complexa que não posso entendê-la.
h. Ela fala tão alto que quase fico surdo ao telefone.

UNIDADE XI

Exercício 1
a. o Brasil
b. o africano
c. o Monte Everest
d. a China
e. Margaret Thatcher

Exercício 2
b. cheíssimo
c. pequeníssima/mínima
d. amicíssimos

e. péssima
f. ótima
g. ótimo
h. belíssima
i. movimentadíssima
j. amabilíssimas

UNIDADE XII

Exercício 1
a. a, a, do, da
b. a, da
c. o, a
d. o, a
e. a
f. o
g. o, o
h. o, a
i. as
j. os, da
k. a, o, a

Exercício 2
a. o
b. a
c. a, o
d. a
e. o
f. o
g. as
h. o
i. o
j. a, os
k. o

UNIDADE XIII

1. A professora já está na sala de aula.
2. As portuguesas dançam muito bem.
3. As europeias são muito sérias.
4. A anfitriã está recebendo as convidadas na porta.
5. A agente secreta foi descoberta.
6. Ela é uma verdadeira mestra (ou mestre) das artes marciais.
7. As fiéis já lotam a igreja para a missa.
8. A secretária avisou a presidente sobre a greve das motoristas.
9. A mãe daquela criança não compareceu à reunião.
10. As funcionárias vão fazer greve amanhã.
11. A embaixatriz dos Estados Unidos vai estar presente à solenidade.
(Obs.: a embaixadora ocupa o cargo; a embaixatriz é a esposa do embaixador)
12. Minha irmã mora no exterior.
13. Ela é libanesa, mas suas filhas são francesas.
14. A noiva já está chegando na igreja.
15. As convidadas estão muito agitadas pela demora.
16. Este é o banheiro das mulheres.
17. A cliente está muito nervosa – precisamos acalmá-la.
18. Vou à dentista hoje. Depois marco hora para a médica.
19. As protestantes são na maioria europeias.
20. A empregada está cuidando das crianças.

UNIDADE XIV

Exercício 1
b. as entradas
c. os chefes
d. as secretárias
e. os postes
f. os diretores
g. as colheres
h. os portugueses
i. os japoneses
j. os papéis
k. os jornais
l. nacionais
m. multinacionais
n. as pazes
o. as reuniões
p. as razões
q. os corações
r. as viagens
s. as reportagens
t. os trens

Exercício 2
a. O homem desta empresa é muito importante.
b. O trem chega em ponto na estação.
c. A reunião com o diretor acontece sempre de manhã.
d. Este mês de inverno está mais chuvoso do que o normal.
e. O avião faz viagem intercontinental toda semana.
f. O carro azul é do professor. O automóvel preto é da diretora.
g. O pão alemão é mais saboroso do que o pãozinho francês.
h. A romã é fruta saborosa e rica em vitamina.

UNIDADE XV

Exercício 1
a. as palavras-chave
b. os bota-fora
c. os mercados anglo-saxões
d. as reuniões técnico-políticas
e. casacos cinza
f. blusas amarelo-ovo
g. as cooperações técnico-administrativas
h. calças azul-marinho
i. camisas verdes e gravatas azuis
j. os cabelos castanho-escuros

Exercício 2
a. A organização político-administrativa europeia é muito eficiente.

b. O alto executivo desta empresa franco-brasileira é estrangeiro.
c. A blusa do uniforme é azul-clara, e a calça é azul-marinho.
d. O cabelo castanho-escuro é muito comum aqui.
e. O interesse sino-brasileiro indica alta na exportação.
f. O relatório tem a palavra-chave no seu título.

UNIDADE XVI

Exercício 1
a. A secretária me trouxe o arquivo.
b. A recepcionista atendeu-o hoje de manhã.
c. Os clientes trouxeram-nos para o diretor.
d. O clientes trouxeram-lhe seus cartões.
e. Ontem lhe fizemos uma visita.
f. Fiquei de entregá-lo aos gerentes ainda hoje.
g. Fiquei de entregar-lhes o projeto ainda hoje.
h. Não as vi ontem.
i. Comprei-os para todos os meus amigos.
j. Comprei-lhes presentes.
k. Os convidados levaram-no para o aniversariante.
l. Os convidados levaram-lhe um bolo.
m. Eu as levo para a escola.
n. À tarde, minha esposa vai buscá-las.
o. A secretária não o disse para mim hoje.
p. A secretária não me disse "bom dia" hoje.
q. Ela sempre o diz para os amigos.
r. Ela sempre lhes diz o que pensa.
s. Os pais deram-nos às crianças.
t. Os pais deram-lhes presentes de natal.
u. Vamos elevá-los este mês.
v. Ela vai pô-la para o jantar.

UNIDADE XVII

Exercício 2
a. Prefiro enviá-los ainda hoje.
b. Prefiro enviar-lhes ainda hoje.
c. Estamos vendendo-a ao nosso concorrente.
d. Estamos vendendo-lhe a empresa.
e. Ela os tem visitado nos fins de semana.
f. Os estrangeiros precisam providenciá-lo para morar no Brasil.
g. O governo tem-nos enviado pelo correio.
h. Gosto de vê-los.
i. Estamos lendo-o no momento.
j. Depois vamos entregá-lo à recepcionista.
k. Depois vamos entregar-lhe o jornal.
l. Vou apresentá-lo aos seus colegas.

UNIDADE XVIII

Exercício 3
a. Trá-las-ão.
b. Trá-las-iam para ela.
c. Trar-lhe-iam as coisas.

d. Encontrá-la-iam.
e. Enviar-nos-ão o telegrama.
f. Enviá-lo-ão aos funcionários.
g. Comprá-la-emos.
h. Vendê-lo-iam para mim.
i. Vender-me-iam o carro.
j. Plantá-lo-emos este ano.
k. Colhê-lo-ão.
l. Escutá-lo-ia.
m. Comprar-lhe-ia uma casa.
n. Comprá-la-ia para ele.

UNIDADE XIX

Exercício 1
a. meu
b. meus
c. meu
d. meu, minha
e. meu, minha
f. minhas

Exercício 2
a. nossos
b. nossa
c. nossas
d. nossos
e. nosso
f. nossos

Exercício 3
a. sua
b. seu
c. seus
d. seu
e. seu
f. seu

Exercício 4
a. deles
b. dela
c. delas
d. dele
e. dele
f. delas

UNIDADE XX

Exercício 1
a. Quem
b. Quem
c. Onde
d. Quando
e. Quantos
f. O que
g. Qual
h. Como
i. Quem

j. Quanto

Exercício 2
b. Por que você mora aqui?
c. Como vocês vão ao trabalho?
d. Quem é você?
e. Quanto custa o DVD player?
f. Como vocês estão?
g. Aonde vocês vão no domingo?
h. Onde você mora?
i. Quais são suas malas?
j. Quando você volta para o Japão?

UNIDADE XXI
1. por que
2. porque
3. por quê
4. porquê
5. por que
6. por que
7. quê
8. porquê
9. por que
10. por que, porque
11. por quê
12. porquê
13. por que
14. porque
15. por quê
16. quê
17. por que
18. porquê
19. porque
20. por que
21. quê
22. porque
23. por quê
24. porquês
25. que
26. por que, por que
27. que
28. que
29. porque
30. porquê
31. que
32. por que, porque
33. porquê

UNIDADE XXII
1. a, a, -
2. de, para
3. -, para, para
4. para, -, às
5. de, ao, para
6. -, de, em
7. para, a, para
8. de, -
9. em, do, do
10. -, de, a
11. a, ao
12. para, para, na

UNIDADE XXIII
1. às, por/em, em
2. de, por
3. da, de, de
4. de, a, com
5. de, com
6. de, de, de
7. de, de
8. no, de, de
9. em/para, para, de
10. para, de

UNIDADE XXIV

Exercício 1
b. na frente
c. em cima
d. longe
e. atrás
f. à direita
g. na frente

Exercício 2
b. o quadro
c. as gavetas
d. o box
e. a mesa
f. o armário / o criado-mudo
g. o vaso
h. o fogão

Exercício 3
a. em cima da mesa
b. em volta da mesa
c. à esquerda
d. em cima da mesa

UNIDADE XXV

Exercício 1
b. esquerda
c. em frente / reto
d. pare
e. vire
f. segunda / terceira

UNIDADE XXVI
1. As velhas ruas (conhecidas de longa data)/ as ruas velhas (antigas)
2. O trabalho noturno
3. A antiga biblioteca
4. O livro chinês
5. Um famoso artista (ênfase) / um artista famoso (contraste)

6. O pobre homem (coitado) / o homem pobre (sem dinheiro)
7. Os espécimes raros
8. Pequena cidade
9. Os custos operacionais
10. Uma dessas maravilhosas máquinas
11. Cabelo branco
12. Da nossa velha professora (de longa data)
13. Uma grande cidade
14. o apartamento novo
15. Alto funcionário
16. A bela Torre Eiffel
17. No centro antigo
18. Água quente

UNIDADE XXVII
1. Cada coisa
2. Muitas reuniões
3. Pouco tempo
4. Ambos os carros
5. Na página seguinte
6. Competência suficiente
7. No próximo ano
8. Uma casa diferente
9. A decisão certa
10. A mesma pessoa
11. O próprio carro
12. Na página três
13. Nenhum problema
14. Ela fala demais
15. Todo mês
16. Menos pessoas
17. Mais trabalho e menos conversa

UNIDADE XXVIII

Exercício 1
b. impossível
c. hipotermia
d. desdizer
e. exterior
f. antipatia
g. internacional
h. inútil

Exercício 2
1.c 2.a 3.b 4.h 5.d 6.e 7.f 8.g 9.l 10.i 11.j 12.m 13.k

Exercício 3
a. semimorto
b. refazer
c. anfíbio
d. sinergia
e. ambiguidades
f. contradisse
g. contraproposta
h. submeter

UNIDADE XXIX

Exercício 1
a. paraquedista
b. motorista
c. jornalista
d. manobrista
e. consumista
f. articulista
g. florista
h. analista
i. extremista

Exercício 2
b. astronomia
c. profecia
d. israelita
e. cabeçorra / cabeção

Exercício 3
a. amparar
b. arranjar
c. bloquear
d. recuar
e. conservar
f. desovar
g. pescar
h. gritar

Exercício 4
b. a tristeza / triste
c. a gordura / gordo / a magreza / magro
d. a corrente / acorrentado
e. o joelho / ajoelhado
f. o alistamento / alistado
g. o amanhecer / amanhecido
h. a gaveta / engavetado
i. o buraco / esburacado
j. o burro / emburrado
k. a loucura / louco
l. o vazio / vazio
m. o esclarecimento / esclarecido

Exercício 5
b. montanhoso
c. barrigudo
d. cabeçudo
e. estúpido
f. sensato
g. cruel
h. mau, cruel
i. acusado
j. americano
k. genial / genioso
l. pessoal
m. sensacional
n. bondoso

Os sons e a grafia
UNIDADE III
1. Sh, ks, ks
2. Z, s
3. Z, s
4. S, s, z, s, sh
5. Ks, sh
6. S, ks, s
7. Sh, s, sh
8. S, s
9. Z, sh
10. S
11. Sh, sh, s, s
12. S, s
13. S, z, s
14. Z, sh, ks
15. Sh, ks
16. S, z
17. S, sh, s
18. Sh
19. Ks
20. Sh, sh, z, sh

UNIDADE IV
1. com-pa-nhi-a
2. in-dús-tria
3. im-por-tan-te
4. psi-có-lo-go
5. ex-por-ta-ção
6. se-cre-tá-ria
7. pre-si-den-te
8. di-re-tor
9. ge-ren-te
10. a-na-lis-ta
11. re-cep-cio-nis-ta
12. fa-xi-nei-ro
13. ven-de-dor
14. en-ge-nhei-ro
15. im-pos-sí-vel
16. con-quis-ta
17. pa-pel
18. pa-péis
19. i-tens
20. en-tre-ga
21. for-ne-ce-dor
22. cli-en-te
23. es-tu-dan-te
24. com-pe-tên-cia
25. o-pe-ra-ção
26. en-co-men-da
27. ven-das
28. mer-ca-do
29. pneu-má-ti-co
30. reu-ni-ão
31. es-tra-nho
32. lo-gís-ti-ca

UNIDADE V

Exercício 1
3. pátria
6. tórax
7. clímax
10. também
11. porém
14. romã
15. órgão
16. irmão
17. irmã
18. ímã
20. parabéns
21. além
22. ruído
25. papéis
26. dobrável
27. dobráveis
30. líder
32. conteúdo

Exercício 2
a. Não dê o presente a Maria agora.
b. Não dá para falar da gerente.
c. Ele vem, mas elas não vêm.
d. Ele tem tempo, por isso sempre vem.
e. Eles têm dinheiro, por isso veem ópera todo fim de semana.
f. Elas não são más, mas vivem falando mal dos outros.
g. Parem no semáforo para não levarem uma multa.
h. Ontem o líder do congresso não pôde vir, mas hoje ele pode.
i. Ela quer pôr as coisas em ordem por Renato.
j. Não dê atenção a pessoas de má intenção.
k. O chefe não para de ligar para mim.
l. Tenho uma conta no Itaú de Itu.
m. No fim de semana vamos a Parati e depois, a Tauí.
n. Eu destruí todos os documentos na picotadora.

A Conjugação Verbal
UNIDADE I

Exercício 1
a. são, são
b. é
c. é
d. são
e. somos, é
f. são
g. é
h. sou, são
i. é
j. somos, são
k. é
l. é
m. são

RESPOSTAS DOS EXERCÍCIOS 235

n. é
o. é

Exercício 2
b. Ela é a diretora de vendas?
c. Vocês são brasileiros?
d. O analista é alemão?
e. Eles são casados?
f. Vocês são solteiros?
g. Você é engenheira?
h. Ela é da Argentina?

UNIDADE II
1. Estão
2. Está
3. Estão
4. Estou
5. Está
6. Está
7. Estamos
8. Estão
9. Está
10. Está
11. Estão
12. Está
13. Está
14. Estamos
15. Está
16. Está, está
17. Estão
18. Está
19. Estão
20. Estão

UNIDADE III
Exercício 1
a. é
b. sou
c. está
d. estão
e. está
f. é
g. são
h. estamos
i. estamos
j. são
k. é
l. é
m. são
n. está
o. é
p. é
q. é
r. são
s. estão
t. estão
u. estão
v. está
w. são
t. é

Exercício 2
O tempo está quente hoje. É inverno, mas não está frio. Os invernos geralmente são frios e secos em São Paulo, mas este ano está mais quente do que o normal.
Carla é diretora de uma empresa de serviços.
Ela está em São Paulo a trabalho junto com sua família. Por causa do tempo seco, a filha de Carla está sempre com problemas respiratórios. Ela é estudante e está na quinta série do ensino fundamental. O colégio dela é perto do trabalho de Carla.
Roberto é o marido de Carla. Ele é gerente em um grande banco e está de férias por duas semanas. Por isso, ele está cuidando do filho mais novo do casal, Paulo.
Paulo ainda é muito pequeno: tem apenas três anos, e ele está com problemas respiratórios também. No momento, ele e Roberto estão no pronto atendimento de um hospital por causa desse problema.
Carla está muito preocupada com os filhos, mas, como hoje é dia de pagamento dos funcionários, ela está muito ocupada e não pode ficar com eles.
Neste tempo muito seco, é importante beber muito líquido e usar roupas leves. A filha de Carla está um pouco acima do peso, por isso ela sofre mais com o calor. O filho de Carla é ainda mais vulnerável porque ainda é muito pequeno.

UNIDADE IV
Exercício 1
b. conversando
c. morando
d. trabalhando
e. escutando
f. escrevendo
g. entendendo
h. fazendo
i. esquecendo
j. prometendo
k. convencendo
l. assistindo
m. abrindo
n. discutindo
o. pondo
p. propondo

Exercício 2
a. Não, eles estão começando o relatório.
b. Não, eles estão entregando a proposta.
c. Não, ela está falando ao telefone.
d. Não, eu estou trabalhando em São Paulo.

e. Não, elas estão prospectando o mercado.
f. Não, ela está recebendo uma promoção
g. Não, eles estão morando em Madri.

Exercício 3
a. Agora nós estamos gostando de morar aqui.
b. Elas estão estudando muito para o vestibular.
c. Os funcionários estão saindo às 17h
d. Eu estou escrevendo emails para os clientes.
e. Ela está providenciando o material de escritório.
f. O chefe está estudando português.
g. Nós estamos escutando as notícias.

Exercício 4
b. Não, ele está chorando.
c. Não, eles estão nadando.
d. Não, ela está jogando futebol.
e. Não, ela está correndo.

UNIDADE V – PARTE 1:-AR

Exercício 1
acordo, acorda, acordamos, acordam
levanto, levanta, levantamos, levantam
tomo, toma, tomamos, tomam
coloco, coloca, colocamos, colocam
pego, pega, pegamos, pegam
trabalho, trabalha, trabalhamos, trabalham
converso, conversa, conversamos, conversam
almoço, almoça, almoçamos, almoçam
janto, janta, jantamos, jantam
escuto, escuta, escutamos, escutam

Exercício 2
a. moro
b. trabalhamos
c. procura
d. encontram
e. acho
f. pensam
g. compra
h. levantamos
i. converso
j. busca

Exercício 3
a. O segurança desliga...
b. Os funcionários trabalham... moram
c. Meus amigos compram
d. eu visito
e. a recepcionista almoça

UNIDADE V: -ER

Exercício 1
entendo, entende, entendemos, entendem
convenço, convence, convencemos, convencem
atendo, atende, atendemos, atendem
escrevo, escreve, escrevemos, escrevem
compareço, comparece, comparecemos, comparecem
esqueço, esquece, esquecemos, esquecem
apareço, aparece, aparecemos, aparecem
forneço, fornece, fornecemos, fornecem
pareço, parece, parecemos, parecem
vendo, vende, vedemos, vendem

Exercício 2
a. como
b. bebem
c. entende
d. esquece
e. parece
f. atende
g. atendem
h. comparecem
i. escreve
j. fornece

Exercício 3
a. Vocês entendem português?
b. As secretárias escrevem a ata de reunião?
c. Os gerentes esquecem de trazer os relatórios?
d. A recepcionista atende aos telefonemas?
e. Você bebe café ou chá?
f. Os funcionários comem no refeitório da empresa?

UNIDADE V: -IR

Exercício 1
a. reúno, reúne, reunimos, reúnem
b. decido, decide, decidimos, decidem
c. assisto, assiste, assistimos, assistem
d. imprimo, imprime, imprimimos, imprimem
e. garanto, garante, garantimos, garantem
f. divido, divide, dividimos, dividem
g. assumo, assume, assumimos, assumem
h. emito, emite, emitimos, emitem
i. abro, abre, abrimos, abrem

Exercício 2
a. decidem
b. divide
c. garante
d. discutem
e. assisto
f. imprime
g. assume
h. reúno
i. emite
j. desistimos

Exercício 3
a. dividimos
b. insiste
c. proíbe

d. abrem
e. reúne
f. desiste
g. emitem

UNIDADE VI

Exercício 1
a. falo, fala, falamos, falam
b. converso, conversa, conversamos, conversam
c. procuro, procura, procuramos, procuram
d. trabalho, trabalha, trabalhamos, trabalham
e. como, come, comemos, comem
f. bebo, bebe, bebemos, bebem
g. entendo, entende, entendemos, entendem
h. atendo, atende, atendemos, atendem
i. abro, abre, abrimos, abrem
j. expando, expande, expandimos, expandem
k. assumo, assume, assumimos, assumem
l reúno, reúne, reunimos, reúnem

Exercício 2
a. ela escova os dentes, coloca a roupa, pega um táxi
b. almoçamos ao meio-dia, encontramos e conversamos com os clientes
c. escrevo emails, atendo ao telefone, arquivo os documentos
d. volta para casa às 17h, janta com a família, recebe amigos
e. reunimos os amigos, comemos um churrasco
f. assisto TV, abro os emails, navego na internet
g. define as tarefas do dia, imprime os relatórios
h. preside a mesa, decide o que fazer

Exercício 3
a. Seu chefe trabalha nos fins de semana?
b. Você gosta da empresa onde trabalha?
c. Os vendedores atendem os clientes na sala de reuniões?
d. A secretária abre os emails todos os dias?
e. Os funcionários chegam no horário e cumprem os prazos?

UNIDADE VII

Exercício 1
a. é, é
b. é, são
c. somos, somos
d. são, são
e. é, é
f. é, são
g. sou, sou, sou

Exercício 2
a. Você é casada?
b. Vocês são brasileiros?
c. Seu marido é expatriado?
d. A secretária é solteira?
e. Os brasileiros são simpáticos?
f. O Brasil é um país interessante?
g. Vocês são corintianos?
h. Os funcionários são pontuais?

Exercício 3
a. vamos
b. vai, vai
c. vão
d. vão
e. vai
f. vou
g. vão
h. vamos
i. vamos
j. vai
k. vamos

Exercício 4
a. Hoje meu chefe não tem tempo.
b. Os vendedores têm de terminar o relatório...
c. Eu tenho uma casa...
d. Nós temos escola amanhã.
e. Todo dia os funcionários têm...
f. Elas têm tempo hoje?
g. Quantos anos as crianças têm?
h. Os clientes têm...
i. A secretária tem que enviar...

Exercício 5
a. Você está na sala de reuniões?
b. Os documentos estão na pasta?
c. Os diretores estão na reunião?
d. A secretária está na mesa dela?
e. Tudo está pronto?
f. Os vendedores estão na rua?
g. Os papéis estão em ordem?
h. Vocês estão atrasados?

Exercício 6
a. sinto, sente, sentimos, sentem
b. invisto, investe, investimos, investem
c. confiro, confere, conferimos, conferem
d. divirto, diverte, divertimos, divertem
e. minto, mente, mentimos, mentem
f. sirvo, serve, servimos, servem
g. firo, fere, ferimos, ferem
h. repito, repete, repetimos, repetem
i. compito, compete, competimos, competem
j. visto, veste, vestimos, vestem
k. consigo, consegue, conseguimos, conseguem
l. sigo, segue, seguimos, seguem

Exercício 7
a. Eu invisto em imóveis.
b. Ele veste jeans.
c. Eles conferem as notas fiscais.

d. Eu confiro o estoque.
e. Eu sirvo cerveja.
f. Ela se diverte no cinema.

Exercício 8
a. Ela é Amélia Rodrigues e tem trinta e cinco anos. Está em São Paulo a trabalho. Vai ao escritório de metrô ou a pé. Prefere voltar para casa mais cedo por causa do trânsito.
b. Nós somos alemães e temos quarenta anos. Estamos no Rio de Janeiro em férias. Vamos à praia de carro e nos divertimos no mar.
c. Eu sou americana e tenho vinte e cinco anos. Estou no Brasil para estudar e trabalhar. Vou à universidade de ônibus ou de bicicleta e sempre compito nas corridas da cidade.
d. Meus amigos são brasileiros e são casados. Têm trinta e quarenta anos. Estão aqui para trabalhar. Todo dia vão ao escritório de metrô, mas preferem ir de carro.

UNIDADE VIII

Exercício 1
a. saem
b. atraem
c. distraio
d. subtraem
e. saio, sai
f. trai
g. cai
h. saem
i. distraem
j. subtrai

Exercício 2
a. constroem
b. constrói
c. destrói
d. constrói
e. destroem
f. destrói
g. construímos
h. constrói
i. construo

Exercício 3
a. bloqueia
b. freia
c. saboreamos
d. grampeia
e. esperneia
f. passeio
g. ateiam
h. receia

Exercício 4
a. odeio
b. odeia
c. odeiam
d. odeio
e. odiamos

Exercício 5
a. peço
b. mede, meço
c. ouvem, ouço
d. ouço
e. pede
f. pede, peço
g. mede
h. medem
i. meço
j. ouço

UNIDADE IX

Exercício 1
a. encubro, encobre, encobrimos, encobrem
b. tusso, tosse, tossimos, tossem
c. engulo, engole, engolimos, engolem
d. durmo, dorme, dormimos, dormem

Exercício 2
a. encobre
b. cobrimos
c. durmo
d. dorme
e. engulo
f. tossem
g. cobre
h. cubro
i. encobrem
j. tusso
k. tosse

Exercício 3
a. cubro
b. cobre
c. cobrem
d. tossimos
e. tossem
f. cobre
g. encobre
h. encobrem
i. engolem
j. engulo
k. engole
l. engole

Exercício 4
a. sobem, subo
b. some
c. foge
d. consomem
e. cospe

f. sacode
g. acode

Exercício 5
a. acudo, acode, acudimos, acodem
b. cuspo, cospe, cuspimos, cospem
c. sumo, some, sumimos, somem
d. fujo, foge, fugimos, fogem
e. consumo, consome, consumimos, consomem

Exercício 6
a. vale
b. valem
c. caibo
d. cabem
e. perde, perco
f. perdem
g. perdem
h. valho
i. vale
j. cabe

UNIDADE X

Exercício 1
a. Não, ela os vê no domingo.
b. Não, eu vejo TV no fim de semana.
c. Não, nós vemos um filme uma vez por mês.
d. Não, você me vê amanhã à tarde.
e. Não, nós nos vemos no escritório amanhã.
f. Não, vejo somente qualidades.
g. Não, ele os vê depois do almoço.
h. Não, eles a veem durante o evento.

Exercício 2
eu faço as malas.
meus amigos fazem o café.
nós fazemos o jantar.
minha chefe faz um telefonema.
a secretária faz uma cópia do documento.
minha amiga faz exercício na academia.
a empregada faz uma chamada a cobrar.
os clientes fazem hora extra todo dia.

Exercício 3
b. Vocês sabem nadar?
c. Você sabe falar francês?
d. Seus amigos sabem onde você está?
e. A secretária sabe andar de bicicleta?
f. Você sabe onde fica o hortifrúti?
g. Vocês sabem história do Brasil?
h. Os compradores sabem fazer o trabalho deles?

Exercício 4
a. traz, trago
b. trazem, traz, traz
c. trazemos, traz, traz
d. traz, traz
e. traz, trazem
f. trazem, trazem

Exercício 5
b. A secretária diz o que pensa.
c. Nós dizemos bom dia quando chegamos.
d. Os funcionários nunca dizem nada durante o expediente.
e. Este cliente nem sempre diz a verdade. Ele diz muita mentira.
f. Eles dizem que haverá demissões.

UNIDADE XI

Exercício 1
eu venho de carro ao trabalho.
nós vimos muito cedo ao escritório.
minhas amigas vêm a pé sempre que possível.
você vem todos os dias bem cedo.
o chefe vem de avião a São Paulo.
As diretoras vêm aqui todas as tardes.
Os funcionários vêm de ônibus.

Exercício 2
b. posso / não posso
c. podem / não podem
d. pode / não pode
e. podemos / não podemos
f. posso / não posso
g. pode / não pode
h. pode / não pode

Exercício 3
b. põe
c. ponho
d. põem
e. põe, ponho
f. põe
g. põem
h. põe

Exercício 4
a. quer, quero
b. querem, quero
c. querem
d. querem, querem
e. querem
f. quer
g. quer
h. queremos

Exercício 5
a. produz
b. induz
c. deduzo
d. conduz
e. produzo
f. seduz

g. produzem
h. conduzem
i. deduzimos

UNIDADE XII

Exercício 1
procurei, procurou, procuramos, procuraram
morei, morou, moramos, moraram
trabalhei, trabalhou, trabalhamos, trabalharam
almocei, almoçou, almoçamos, almoçaram
comprei, comprou, compramos, compraram
encontrei, encontrou, encontramos, encontraram
atendi, atendeu, atendemos, atenderam
bebi, bebeu, bebemos, beberam
comi, comeu, comemos, comeram
entendi, entendeu, entendemos, entenderam
escrevi, escreveu, escrevemos, escreveram
esqueci, esqueceu, esquecemos, esqueceram
prometi, prometeu, prometemos, prometeram
fugi, fugiu, fugimos, fugiram
abri, abriu, abrimos, abriram
assisti, assistiu, assistimos, assistiram
produzi, produziu, produzimos, produziram
parti, partiu, partimos, partiram
sumi, sumiu, sumimos, sumiram
consumi, consumiu, consumimos, consumiram

Exercício 2
b. Ontem eu cheguei cedo ao escritório, escrevi emails, almocei ao meio-dia.
c. Essa manhã João esqueceu a chave do carro, voltou para casa e chegou atrasado.
d. Anteontem nós terminamos o relatório, corrigimos os erros, entregamos ao chefe.
e. Hoje digitei a proposta, mandei tudo para o cliente, esperei o resultado.
f. Anteontem ele buscou os filhos na escola, preparou o jantar, assistiu TV.
g. Ontem minhas amigas navegaram na internet, encontraram anúncios de casas, selecionaram os melhores.
h. Ontem nós conhecemos a Foz do Iguaçu, caminhamos pelo parque, dormimos tarde.

Exercício 3
a. acordei, tomei
b. escrevi, mandei
c. abriu, depositou
d. promovemos, convidamos
e. almoçaram, retornaram
f. compareceram, cumprimentaram
g. esqueci, voltei
h. reuniu, parabenizou

UNIDADE XIII

Exercício 1

b. meu chefe foi
c. nós fomos
d. eu fui
e. fomos
f. fui
g. Amanda foi
h. todos foram
i. nunca tive
j. vocês tiveram
k. a recepcionista teve
l. estive
m. estivemos
n. o diretor esteve
o. eu vi
p. vimos
q. eles não viram
r. fiz
s. sempre fizemos
t. você soube
u. eu soube que todos tiveram
v. ela trouxe
w. meus amigos trouxeram

Exercício 2
b. nós sempre trazemos
c. eu trago
d. ela diz
e. eu digo para o chefe o que acontece
f. vocês dizem
g. nunca sou muito bom
h. eles são
i. vocês vão
j. eu vou
k. você tem
l. nunca tenho
m. eles têm
n. você está
o. eles estão
p. nós estamos
q. a secretária não vê
r. nós vemos
s. os funcionários veem
t. você faz
u. eu faço
v. sabemos
w. sei do problema assim que tento
x. trazemos

Exercício 3
a. Fui. / Não fui.
b. Foi. / Não foi.
c. Fui. / Não fui.
d. Foi. / Não foi.
e. Fomos. / Não fomos.
f. Vi. / Não vi.
g. Viram. / Não viram.
h. Soube. / Não soube.
i. Soubemos. / Não soubemos.

j. Trouxe. / Não trouxe.
k. Trouxe. / Não trouxe.
l. Trouxeram. / Não trouxeram.
m. Fiz. / Não fiz.
n. Fizeram. / Não fizeram.
o. Estive. / Não estive.
p. Disse. / Não disse.
q. Disse. / Não disse.

Exercício 4
b. eu fui
c. os vendedores trazem
d. ela traz
e. meus amigos viram
f. eu vejo
g. nós soubemos
h. o diretor financeiro sabe
i. temos
j. tiveram
k. estamos
l. eu estive

UNIDADE XIV

Exercício 1
b. vem
c. vem
d. quer
e. querem
f. vimos
g. freia
h. freio
i. põem
j. ponho
k. quero
l. posso
m. pode
n. venho
o. vêm
p. durmo

Exercício 2
a. eu vim
b. a secretária veio
c. eles vieram
d. nós viemos
e. eu pude
f. nós pudemos
g. você pôde
h. eu pus
i. elas puseram
j. nós pusemos
k. ela quis
l. você quis
m. nós quisemos
n. a empresa produziu
o. este vendedor conduziu
p. elas deduziram
q. nós produzimos

Exercício 3
a. você dorme
b. ela tosse
c. nós cobrimos
d. você sobe
e. nós subimos
f. as pessoas consomem
g. eu consumo
h. o motorista freia
i. os filmes estreiam
j. a polícia bloqueia

Exercício 4
a. Não, eles querem um chá.
b. Não, eu quis um café com leite.
c. Não, ele nomeia uma nova assistente.
d. Não, ele freou o carro bem antes.
e. Não, eu sempre subo de elevador.
f. Não, eu subi pelas escadas: o elevador estava quebrado.
g. Não, eu venho uma vez por mês.
h. Não, eu vim mês passado.
i. Não, ela sempre põe lentes de contato.
j. Não, ontem ela pôs os óculos: seus olhos estavam irritados.
k. Não, elas produzem caminhões.
l. Não, elas produziram muito ano retrasado.

UNIDADE XV

Exercício 1
a. ela saiu todas as noites
b. nós saímos
c. eles saíram
d. eu saí
e. eu preferi
f. você preferiu
g. nós nos sentimos
h. eu me vesti
i. meu amigo pediu
j. nós pedimos
k. eu sempre ouvi
l. eles ouviram
m. o filme valeu
n. eu vali
o. as malas couberam
p. eu coube
q. nós coubemos
r. ela odiou
s. eu odiei
t. nós odiamos
u. esta empresa construiu
v. a poluição destruiu
w. Nós destruímos
x. eles construíram

RESPOSTAS DOS EXERCÍCIOS

Exercício 2
a. minhas amigas preferem
b. o chefe preferiu
c. eu saí
d. nós sempre saímos
e. nós pedimos
f. eles pediram
g. eles sempre perdem
h. eu perdi
i. a casa vale
j. estes prédios valeram
k. a bicicleta não cabe
l. eles não couberam em suas roupas
m. as pessoas odeiam
n. os funcionários odiaram
o. elas sempre odiaram
p. estas empresas constroem
q. eles construíram

UNIDADE XVI

Exercício 1
a. trazia, trazia, trazíamos, traziam
b. punha, punha, púnhamos, punham
c. tinha, tinha, tínhamos, tinham
d. construía, construía, construíamos, construíam
e. elaborava, elaborava, elaborávamos, elaboravam
f. fazia, fazia, fazíamos, faziam
g. trabalhava, trabalhava, trabalhávamos, trabalhavam
h. era, era, éramos, eram
i. exigia, exigia, exigíamos, exigiam
j. via, via, víamos, viam
k. falava, falava, falávamos, falavam
l. morava, morava, morávamos, moravam
m. ia, ia, íamos, iam
n. bebia, bebia, bebíamos, bebiam
o. vinha, vinha, vínhamos, vinham

Exercício 2
a. morávamos
b. era, estudava
c. trabalhavam, faziam
d. era, escrevia
e. vinha, trazia
f. estava, tinha
g. escutava, praticava
h. sofria, ia

Exercício 3
a. Nos fins de semana, todos iam ao parque e praticavam esportes.
b. Quando ela chegou/chegava ao escritório, ligou/ligava as luzes e checou/checava os emails.
c. Quando trabalhávamos neste projeto, decidimos mudar alguns detalhes.
d. Estávamos jantando quando o telefone tocou. Era meu vizinho avisando que estava em casa.
e. Na recepção, trabalhavam duas moças e um rapaz. Atrás dela havia três elevadores.
f. Não pude ir à aula porque não me sentia muito bem.
g. Sempre que ela falava, ele a interrompia.
h. Enquanto eu lia o jornal, meus filhos brincavam no playground.
i. O tempo estava muito bom. Provavelmente íamos ao clube e íamos almoçar lá.
j. Quando era criança, brincava no parque com meus amigos. Também estudava muito e praticava esportes.

UNIDADE XVII

Exercício 1
a. Nós vamos ficar em casa
b. Nós vamos escrever emails
c. Os vendedores vão entregar
d. Os jogos vão acontecer
e. As farmácias vão fechar
f. Eu vou telefonar
g. Ela vai navegar
h. As empresas vão demitir

Exercício 2
a. Vocês vão trabalhar no fim de semana?
b. O chefe vai convocar uma reunião hoje?
c. Você vai almoçar comigo hoje?
d. Seus colegas vão participar do congresso?
e. Essas pessoas vão trabalhar na empresa?

Exercício 3 (sugestões)
a. As secretárias vão dar uma volta...
b. O gerente vai fazer...
c. A diretora vai participar da reunião...
d. O médico vai analisar os exames.
e. Os professores vão entrar em greve...
f. Nós vamos preparar a proposta de vendas.
g. A dentista vai cobrar o serviço.
h. A recepcionista vai escrever a ata de reuniões.

Exercício 4
a. Ela vai viajar.
b. Eles vão entrar em greve.
c. Ele vai participar de uma conferência.
d. Nós vamos ir a Brasília.
e. Eles vão desistir da venda.
f. Eu vou escrever os relatórios de vendas.
g. Você vai trabalhar.

UNIDADE XVIII

Exercício 1
a. viajaremos
b. receberá
c. iremos
d. darei
e. farão

f. trarei

Exercício 4
a. Faremos o possível
b. A dentista extrairá
c. Ele fará
d. Viajarei
e. Os gerentes se reunirão
f. Estudaremos
g. Ela dirá
h. Ouviremos

Exercício 5
reformarei, fomentarei, oferecerei, conduzirei, trarei, melhorarei, contratarei, trarei, darei, farei

Exercício 6
reformaremos, fomentaremos, ofereceremos, conduziremos, traremos, melhoraremos, contrataremos, traremos, daremos, faremos

UNIDADE XIX

Exercício 1
a. estudaria e viajaria
b. faríamos
c. procurariam
d. agiria e diria
e. traria
f. iria

Exercício 3
a. você traria / você poderia trazer
b. você faria / você poderia fazer
c. você viria / você poderia vir
d. vocês fariam / vocês poderiam fazer
e. você diria / você poderia dizer
f. você telefonaria / você poderia telefonar
g. você participaria / você poderia participar
h. você entregaria / você poderia entregar

Exercício 4
a. Eles comprariam esta casa?
b. Vocês fariam o negócio?
c. Elas trariam o laptop?
d. A advogada o defenderia?
e. Estaria tudo pronto em tempo?
f. Eles venderiam aquele carro antigo?
g. Vocês iriam à reunião no meu lugar?
h. Vocês fariam isso por mim?

CAPÍTULO XX

Exercício 1
a. Os advogados têm escrito
b. Eu tenho falado
c. Ele tem bebido
d. Os alunos têm assistido
e. A recepcionista tem permitido
f. Esta empresa tem construído
g. Os engenheiros têm trabalhado
h. Os supervisores não têm conseguido

Exercício 2
a. eu (não) tenho trabalhado
b. eu (não) tenho estudado
c. eu (não) tenho trabalhado
d. eu (não) tenho ido
e. eu (não) tenho feito
f. eu (não) tenho escutado
g. eu (não) tenho falado
h. eu (não) tenho usado
i. eu (não) tenho posto
j. eu (não) tenho comprado
k. eu (não) tenho apagado

UNIDADE XXI

Exercício 1
b. Quando a reunião começou, todos já tinham chegado.
c. Eu nunca tinha visto uma pessoa tão inteligente antes.
d. ...a secretária já tinha imprimido todas as vias.
e. ...porque já tinha tomado.
f. ...pois já tinha visto aquela peça.
g. ...nem todos tinham chegado.
h. Nós nunca tínhamos escutado...

Exercício 2
a. Quando a reunião começou, os clientes já tinham chegado.
b. Quando o chefe da secretária chegou, ela já tinha almoçado.
c. Quando o fornecedor me telefonou, eu já tinha recebido o email dele.
d. Quando nossos amigos chegaram, nós já tínhamos jantado.
e. Os funcionários já tinham feito uma pausa para o café...
f. A aula de português já tinha começado...
g. Todos tinham saído do escritório...
h. Quando ele chegou em casa, o programa favorito dele já tinha começado.

UNIDADE XXII

Exercício 1
a. terei terminado
b. teremos mudado
c. terá se formado
d. teremos nos mudado
e. terá lançado
f. terei feito
g. terá me dado
h. terá posto

RESPOSTAS DOS EXERCÍCIOS

Exercício 3
teria conversado, teria dito, teria pedido, teria descentralizado, teria posto, teria mantido, teria procurado

UNIDADE XXIII

Exercício 1
a. feche
b. ultrapasse, dirija
c. ligue, retire
d. bata, ponha
e. compre, ganhe
f. mantenha, fale

Exercício 2
a. preocupe
b. esteja
c. mantenha, leve
d. saia
e. sorria
f. traga
g. confie, anote
h. deixe, faça

Exercício 3
a. virem, sigam
b. fale, procure
c. fechem, abram
d. terminemos, voltemos
e. compremos, levemos
f. tenham, fiquem

UNIDADE XXIV

Exercício 1
a. vestiu-se
b. me engano
c. se encontram
d. dirija-se
e. se vê
f. nos vemos
g. sente-se
h. se sentiu, deitar-se
i. se conhecem
j. se lembra
k. me esqueci
l. se cumprimentam
m. se despediu
n. se despediram
o. nos servir
p. se virou

Exercício 2
Eu me dirijo ao balcão da companhia aérea.
A chefe se sentou no sofá da recepção.
O diretor sentiu-se muito bem hoje.
Os clientes e os gerentes se cumprimentaram quando se viram no aeroporto.
Nós nos servimos porque a copeira não estava na sala.
Vocês se abraçam sempre de manhã.
Os funcionários decidem-se por ficar em casa.
A recepcionista divertiu-se muito no sábado à noite.

UNIDADE XXV

Exercício 1
fale, fale, falemos, falem
conte, conte, contemos, contem
trabalhe, trabalhe, trabalhemos, trabalhem
esteja, esteja, estejamos, estejam
busque, busque, busquemos, busquem
seja, seja, sejamos, sejam
faça, faça, façamos, façam
diga, diga, digamos, digam
traga, traga, tragamos, tragam
queira, queira, queiramos, queiram
veja, veja, vejamos, vejam
forneça, forneça, forneçamos, forneçam
peça, peça, peçamos, peçam
durma, durma, durmamos, durmam
suba, suba, subamos, subam
admita, admita, admitamos, admitam
haja
dê, dê, demos, deem
saiba, saiba, saibamos, saibam
vá, vá, vamos, vão
consiga, consiga, consigamos, consigam
venha, venha, venhamos, venham
consuma, consuma, consumamos, consumam
ponha, ponha, ponhamos, ponham

Exercício 2
b. Precisamos que eles cheguem mais cedo.
c. Não estamos certos que as secretárias enviem os emails em tempo.
d. Os chefes querem que os eventos aconteçam hoje.
e. Tomara que as diretoras cheguem mais tarde.
f. Elas preferem que nós façamos o trabalho.
g. Esperamos que vocês saibam o que estão fazendo.
h. Preferimos que elas queiram sair amanhã.
i. Não achamos que eles venham hoje.
j. Elas não acreditam que chova hoje.
k. É pena que as crianças não queiram comer.
l. É provável que os diretores falem durante o evento.
m. É importante que vocês estudem mais.
n. É inegável que eles sejam os melhores vendedores da empresa.
o. É bom que as moças não se atrasem para as entrevistas.
p. É surpreendente que as vendas sejam tão boas este ano.
q. É fantástico que os funcionários da contabilidade queiram nos ajudar.

Exercício 3
a. para que
b. mesmo que
c. caso
d. a fim de que
e. contanto que
f. por mais que
g. antes que
h. sem que
i. por menos que
j. até que
k. para que

UNIDADE XXVI

Exercício 1
falasse, falasse, falássemos, falassem
contasse, contasse, contássemos, contassem
trabalhasse, trabalhasse, trabalhássemos, trabalhassem
estivesse, estivesse, estivéssemos, estivessem
buscasse, buscasse, buscássemos, buscassem
encontrasse, encontrasse, encontrássemos, encontrassem
fizesse, fizesse, fizéssemos, fizessem
dissesse, dissesse, disséssemos, dissessem
trouxesse, trouxesse, trouxéssemos, trouxessem
escolhesse, escolhesse, escolhêssemos, escolhessem
visse, visse, víssemos, vissem
fornecesse, fornecesse, fornecêssemos, fornecessem
pedisse, pedisse, pedíssemos, pedissem
dormisse, dormisse, dormíssemos, dormissem
subisse, subisse, subíssemos, subissem
admitisse, admitisse, admitíssemos, admitissem
houvesse
desse, desse, déssemos, dessem
soubesse, soubesse, soubéssemos, soubessem
fosse, fosse, fôssemos, fossem
coubesse, coubesse, coubéssemos, coubessem
viesse, viesse, viéssemos, viessem
consumisse, consumisse, consumíssemos, consumissem
pusesse, pusesse, puséssemos, pusessem

Exercício 2
b. Caso os clientes viessem aqui, falaríamos com eles.
c. Eu precisava que eles telefonassem para o chefe.
d. A diretora queria que eu falasse na apresentação.
e. Foi essencial que os vendedores falassem com o cliente.
f. Era muito importante que a assistente viesse conosco.
g. Era impossível que eu chegasse em tempo.
h. Ela trabalhou muito a fim de que conseguisse uma promoção.
i. Ela viria a não ser que os amigos não viessem.
j. Nada seria possível sem que o diretor interviesse.

Exercício 3
a. Esperava que você gostasse
b. O chefe queria que todos comparecessem
c. Tive medo de que nevasse
d. Talvez nós pudéssemos
e. Era imperdoável que ela não viesse
f. Era possível que a fábrica fechasse
g. Trabalhei muito a fim de que pudesse
h. Enviei este email para que você tivesse
i. Mesmo que fizesse sol, não iria ao clube.
j. Nós saberíamos o que fazer a não ser que as regras mudassem.
k. Os funcionários fizeram greve porque queriam que a empresa oferecesse
l. Caso todos concordassem, poderíamos
m. A secretária teve que sair antes que as luzes se apagassem.
n. Queria que todos soubessem
o. Não achava que o trabalho estivesse
p. Esperava que você fosse
q. Ela tinha medo que o bolo não desse
r. Lamentei que esta atividade acabasse.
s. Era surpreendente que aquelas malas enormes coubessem

UNIDADE XXVII

Exercício 1
trabalhar, trabalhar, trabalharmos, trabalharem
conversar, conversar, conversarmos, conversarem
buscar, buscar, buscarmos, buscarem
estiver, estiver, estivermos, estiverem
procurar, procurar, procurarmos, procurarem
encontrar, encontrar, encontrarmos, encontrarem
fizer, fizer, fizermos, fizerem
disser, disser, dissermos, disserem
trouxer, trouxer, trouxermos, trouxerem
escolher, escolher, escolhermos, escolherem
vir, vir, virmos, virem
fornecer, fornecer, fornecermos, fornecerem
pedir, pedir, pedirmos, pedirem
dormir, dormir, dormirmos, dormirem
subir, subir, subirmos, subirem
admitir, admitir, admitirmos, admitirem
houver
der, der, dermos, derem
souber, souber, soubermos, souberem
for, for, formos, forem
couber, couber, coubermos, couberem
vier, vier, viermos, vierem
construir, construir, construirmos, construírem
puser, puser, pusermos, puserem

Exercício 2
b. Eu vou ouvir música quando estiver em casa.
c. Minha chefe ligará quando o cliente chegar.

d. Meus colegas vão sair logo que derem 17 horas.
e. O evento acontecerá se nós tivermos bons resultados.
f. O fornecedor trará as mercadorias sempre que as tiver disponíveis.
g. A empresa não demitirá enquanto for possível.
h. Nós vamos entregar os relatórios hoje se pudermos.
i. Eu colocarei suas malas no carro se elas couberem.
j. Ela virá aqui quando for possível.
k. Eu checarei os emails assim que der tempo.
l. Nós receberemos quem quiser vir.
m. A empresa precisará de tudo que eles puderem mandar.
o. Eu encontrarei você onde você quiser.

Exercício 4
b. Seja quem for
c. Haja o que houver
d. Custe o que custar
e. Venha quem vier
f. Dê no que der
g. Faça o que fizer
h. Chova o que chover
i. Seja o que for
j. Esteja onde estiver

UNIDADE XXVIII

Exercício 1
a. Não deixaria este emprego sem que recebesse
b. Trabalhamos muito a fim de que pudéssemos
c. Passaria no exame mesmo que tivesse
d. Todos viriam contanto que não chovesse
e. Compraria um novo carro a não ser que não tivesse
f. Os diretores se reuniriam a não ser que não houvesse
g. Os fornecedores entregariam tudo desde que pudessem
h. A reunião começou no horário embora nem todos tivessem
i. O RH contratou antes que a demanda aumentasse
j. O mercado estava... ainda que não houvesse
k. Iríamos ao seu escritório a menos que você pudesse
l. ...enviaria... desde que tivesse
m. Por mais que o chefe pedisse, não conseguiríamos...

Exercício 2
b. Mudaríamos... quando conseguíssemos
c. Venderíamos... conforme fosse necessário
d. Receberia... à medida que vendesse
e. ... se reuniria assim que tivéssemos
f. Avisaria a secretária se a visse
g. Telefonaria assim que você chegasse
h. Iniciaríamos... logo que todos estivessem

i. Telefonaria sempre que precisasse
j. Faríamos... enquanto fosse
k. A decisão seria tomada assim que o diretor tivesse analisado
l. O balancete... seria divulgado quando a Contabilidade o tivesse
m. ...cairiam quando houvesse

UNIDADE XXIX

a. venha
b. chove / vai chover
c. tenhamos
d. gostassem
e. chegue
f. venha
g. haverá
h. viesse
i. reunirá
j. vá decidir
k. vou receber
l. aconteça
m. queriam
n. tivessem
o. teria
p. tivéssemos
q. temos/teremos
r. possamos
s. comprem
t. consigam

UNIDADE XXX

Exercício 1
b. contando/contado
c. falando/falado
d. comendo/comido
e. entendendo/entendido
f. trazendo/trazido
g. dando/dado
h. partindo/partido
i. investindo/investido
j. dividindo/dividido

Exercício 2
gastar/gastando
pagar/pagando
dizer/dizendo
fazer/fazendo
escrever/escrevendo
ver/vendo
abrir/abrindo
cobrir/cobrindo
pôr/pondo
vir/vindo

Exercício 3
a. esteja vendo
b. traga

RESPOSTAS DOS EXERCÍCIOS 247

c. possamos
d. tenha recebido
e. tenha dito
f. esteja participando
g. esteja usando
h. tenha escrito
i. participem, respondam
j. vá, solicite
k. cheguem, saiam
l. tenha terminado

UNIDADE XXXI
1. viesse
2. tivessem faltado, tivesse avisado
3. ganhasse
4. fosse
5. tivesse dado
6. entregassem
7. tivesse chovido
8. fizesse
9. viesse
10. estivesse trabalhando
11. tivéssemos gasto
12. falasse
13. estivesse almoçando
14. pudéssemos
15. tivesse marcado
16. estivessem
17. chovesse, perdêssemos
18. tivesse se preparado
19. melhorasse, tivéssemos
20. tivesse terminado
21. tivesse pedido
22. participasse, inteirasse

UNIDADE XXXII
1. chegarmos
2. tiver entrevistado
3. tiver feito
4. for trazendo
5. quiserem
6. for terminando
7. der
8. estiverem saindo
9. disser
10. estiver escrevendo
11. tiver adquirido
12. houver
13. estiverem montando
14. trouxer
15. forem sendo
16. ficar
17. tiver escrito
18. viermos
19. for
20. tivermos implementado
21. fizer
22. tiver visto

UNIDADE XXXIII
2. Se nós tivéssemos podido, teríamos ido
3. Se o chefe tivesse vindo ontem, teríamos falado
4. Nós iríamos à reunião se tivéssemos tempo
5. Eles teriam terminado o relatório se tivessem conseguido os dados.
6. Se tivéssemos tido verba suficiente, teríamos feito
7. Os clientes teriam usado a sala de reuniões se ela estivesse vazia.
8. Teriam entregado as mercadorias se tivessem podido
9. A gerente irá à reunião se receber
10. Nós iremos à Europa se tivermos dinheiro
11. Eles farão o relatório se dedicarem mais...
12. Conversaríamos com os funcionários se o chefe nos pedisse.
13. ...tivessem vindo em tempo, teriam podido participar do evento.
14. Falaria durante a reunião se meu chefe pedisse.

UNIDADE XXXIV

Exercício 1
b. O relatório é elaborado pelo vendedor.
c. Os emails são enviados pela secretária.
d. A apresentação foi feita pelo diretor.
e. A limpeza tinha sido feita pela moça.
f. Uma entrevista era dada pela diretora.
g. Preciso que a situação seja entendida por vocês.
h. Não gostaria que o assunto fosse comentado por eles.
i. Os materiais seriam comprados pelo departamento.
j. As ONGs são ajudadas pelo Estado.
k. Esta obra foi financiada pelo BNDES.
l. A proposta tinha sido discutida pelos funcionários.
m. Na hora certa, toda a verdade será dita por ele.
n. O contrato será assinado quando todas as suas cláusulas tiverem sido discutidas.

Exercício 2
b. Contrataram-se novos funcionários.
c. Anulou-se o teste.
d. Cancelou-se a reunião.
e. Vendem-se casas.
f. Alugam-se apartamentos.
g. Alimentaram-se os cachorros.
h. Seguiram-se os mesmos critérios.
i. Reuniram-se os integrantes do sindicato.
j. Fizeram-se entrevistas.
k. Compraram-se peças.
l. Comprou-se a peça.
m. Viram-se os homens no morro.
n. Demitiu-se a secretária.
o. Discutiu-se este assunto na reunião.

UNIDADE XXXV
1. estão hospedados
2. foi discutido
3. está decidido
4. foi incluso
5. estão preocupados
6. foi feita
7. está muito desenvolvida
8. está quebrado
9. foi entregue
10. foi iniciado
11. é considerada
12. é considerado
13. são acesas, estão acesas
14. estava cansado
15. estão escritos
16. foi escrito
17. foram enviados
18. são recebidos
19. Estavam apagadas
20. Estão crescidos

UNIDADE XXXVI

Exercício 1
a. foi aceita
b. tinha aceitado
c. foram entregues / estão entregues
d. tinha entregado
e. foi expulso
f. tem expulsado
g. estava limpo
h. tem limpado
i. tem acendido
j. estão acesas
k. está cheia
l. tinha enchido
m. estava morta
n. está morto
o. tem prendido
p. foi preso
q. foram impressos
r. tinha imprimido

Exercício 2
a. estava aberta
b. tenho gasto
c. foram escritas e entregues
d. foram postos
e. tem posto
f. foi descoberto
g. tem visto
h. tinha vindo

i. têm escrito
j. tinha dito

UNIDADE XXXVII

Exercício 1
a. O gerente disse que a nova diretora chegaria naquele dia à empresa.
b. O cliente disse que precisava falar com o departamento de pós-vendas.
c. O ministrante do curso comentou que esperava que vocês gostassem do curso daquele dia.
d. A faxineira perguntou se podia limpar as mesas agora.
e. O gerente de marketing afirmou que faríamos uma declaração à imprensa naquela tarde.
f. O fornecedor informou que era possível que tivesse problemas na entrega.
g. O chefe pediu que viesse rápido para que pudesse iniciar a reunião.

Exercício 2
a. A recepcionista pediu para aguardarmos aqui / que aguardássemos aqui.
b. O agente de viagens recomendou estar / que estivesse no aeroporto duas horas antes do voo.
c. O vendedor disse para ver / que visse como o showroom da empresa ficou lindo.
d. O cliente zangado disse precisar / que precisava do produto ainda hoje.
e. A secretária disse para a chefe atender/ que a chefe atendesse a linha B.

UNIDADE XXXVIII

Exercício 1
a. fechar/fecharmos
b. fornecer
c. suprir/suprirmos
d. aumentar/aumentarem
e. ter/terem

Exercício 2
a. voltarem, perderem
b. terem, conseguirem
c. investirem, melhorar
d. melhorarem

Exercício 3
a. É essencial que consigamos
b. porque precisa
c. sem que nos avisassem
d. Basta que levemos em conta
e. para que a secretária digite